REMERCIEMENTS

*Nous adressons à Monsieur le Professeur **Jean Tulard***
notre plus profonde gratitude pour les vingt années de leçons qu'un disciple a tenté de retenir.
Nous lui témoignons également un vive reconnaissance pour l'intérêt qu'il a bien voulu manifester à cette biographie.

*Nos remerciements très chaleureux vont également à Monsieur **Bernard Quintin***
qui a eu la gentillesse de se pencher attentivement sur ce texte et d'y apporter des observations très judicieuses.

Nous tenons enfin à exprimer toute notre sympathie à
*Monsieur **Loïc Damilaville** pour son efficace collaboration.*

Couverture :
Napoléon 1er, empereur des Français en costume de sacre.
François Gérard (1770-1837) 1805.
Musée du Château de Versailles.

Pages de garde :
Première distribution des croix de la Légion d'honneur dans l'église des Invalides, le 15 Juillet 1804.
Jean-Baptiste Debret (1768-1848), salon de 1812.
Musée du Château de Versailles.

Pages 6/7 :
Le tsar Alexandre Ier présente à Napoléon les Kalmouks, les Cosaques et les Baskirs de l'armée russe, le 9 juillet 1807.
Pierre Nolasque Bergeret (1782-1863). daté 1810, Musée du Château de Versailles.

Page 11 :
Les armoiries impériales.

Crédit photographique :

R.M.N. : 2/3, 6/7, 14/15, 17, 29, 41, 42/43, 45, 46/47, 48/49, 60/61, 62/63, 67, 69, 70/71, 74/75, 78/79, 81, 82/83, 86/87, 95, 98/99, 104/105, 106/107.

Tallandier : 11, 19, 21, 33, 39, 85, 89.
Musée de la Monnaie : 55, 56, 57.
Bulloz : 23.

Documents :

Clavreuil : 113-120.
Martinez : 13, 36/37, 72/73, 76/77, 90, 91, 100/101, 102/103, 108/109, 111, 112, 121.
Michèle Polak : 50/51.
Collection de l'auteur : 52/53, 65, 93, 124.
Archives Molière : 27, 31, 34.

Texte : Eric Ledru.
Collaboration : F. B. S. B.

Napoléon

Le conquérant prophétique

Eric LEDRU
*de l'Institut
Napoléon*

Préface
Jean TULARD
de l'institut

*«La vie est trop courte pour être petite»
Disraeli*

vilo

PRÉFACE

Encore un livre sur Napoléon, direz-vous. Mais un livre que vous aimerez lire et relire, ouvrir au hasard pour parcourir un chapitre ou contempler une image, un livre qui fait rêver mais que l'on consulte aussi pour y trouver un nom ou une date.

Eric Ledru a donné à son ouvrage un sous-titre original : "Le conquérant prophétique".

Napoléon fut en effet l'un des plus grands conquérants de l'Histoire, dans la lignée d'Alexandre et de Gengis Khan.

Comme les civilisations, les empires sont mortels et le "Grand Empire" qui avait englobé une partie de l'Europe occidentale connut le sort de ses prédécesseurs.

Mais Eric Ledru a raison de parler de conquérant "prophétique". Si la domination napoléonienne sur l'Europe fut éphémère, elle a laissé une empreinte profonde. L'Empereur se plaisait à le rappeler à Sainte-Hélène devant Las Cases.

Il fut le destructeur du vieux monde féodal que symbolisait en Allemagne le Saint Empire romain germanique. Partout, en Italie (surtout dans le Nord), en terre allemande (avec le royaume-modèle de Westphalie), en Pologne, en Espagne (où fut abolie par Napoléon l'Inquisition), sans oublier les pays annexés, disparurent les vestiges de ce que l'on appela désormais l'Ancien Régime. La vieille aristocratie recula au profit de la bourgeoisie, le capitalisme prit son essor après la disparition des corporations, le droit civil fut réformé par le Code Napoléon et la liberté rendue aux paysans.

Il y eut aussi réveil de l'idée européenne. La carte du Vieux Continent fut simplifiée : moins d'Etats en Allemagne après le recès de 1803, une annonce d'unification en Italie, la naissance d'un sentiment national en Espagne. Napoléon sut habilement s'en attribuer le mérite dans le Mémorial de Sainte-Hélène.

Jamais les événements futurs n'ont autant donné raison à un vaincu. C'est tout le XIXᵉ siècle et beaucoup de notre XXᵉ qui sont contenus dans cette époque napoléonienne que nous conte avec talent et sérieux Eric Ledru.

Jean TULARD
de l'Institut

SOMMAIRE

INTRODUCTION

L'île de Sainte-Hélène est un rocher volcanique perdu dans l'océan Atlantique, sombre et battu par les vents. Un paysage de désolation, une végétation rase ou inexistante. La capitale de l'île, Jamestown, en est aussi l'unique ville.

Ce morne caillou ne serait jamais sorti de l'anonymat si, le 5 mai 1821, n'y était mort un homme dont la destinée avait durablement marqué l'Europe et le monde : Napoléon.

Une mort sans grandeur après une vie consacrée à la poursuite de la gloire, comme en témoigne le **comte de Las Cases** dans son journal, qui devint par la suite le *Mémorial de Sainte-Hélène*.

Laissons-lui la parole :

"Samedi 26 octobre 1816.

On disait l'Empereur fort souffrant. Il m'a fait demander dans sa chambre. Je l'ai trouvé, la tête empaquetée d'un mouchoir, dans son fauteuil, fort près d'un grand feu qu'il s'était fait allumer. 'Quel est le mal le plus vif, la douleur la plus aiguë ?' demandait-il. Je répondais que c'était toujours celle du moment. 'Eh bien ! C'est donc le mal de dents !' m'a-t-il dit. En effet, il avait une violente fluxion ; sa joue droite était fort enflée et fort rouge. J'étais seul, en ce moment, auprès de lui ; je me suis mis à lui chauffer alternativement une flanelle et une serviette qu'il appliquait tour à tour sur la partie souffrante, et il disait en ressentir beaucoup de bien. A cela se joignaient encore une forte toux nerveuse, des bâillements et un frisson, présage de la fièvre. [...]

Le docteur est arrivé, et lui a trouvé un commencement de fièvre. L'Empereur a passé de la sorte tout le reste du jour, souffrant par moment des douleurs très aiguës, allant alors et revenant alternativement de son fauteuil à son canapé, et remplissant les intervalles de souffrance à causer d'objets divers [...]

Sur le soir, la douleur s'est apaisée, et l'Empereur a pu s'endormir ; il avait dû beaucoup souffrir ; toute sa physionomie montrait une extrême altération.

Dimanche 27.

L'Empereur a passé tout le jour sur son canapé ou son fauteuil, près du feu. Il avait peu dormi, souffrait comme hier et n'avait pas mangé. Ses douleurs de tête et de dents étaient extrêmement vives ; la fluxion n'avait nullement diminué. Il a repris l'usage de la flanelle et des serviettes chaudes de la vieille, qu'il m'a dit, en me revoyant, lui avoir fait hier tant de bien. Je me suis mis à les chauffer et à les lui appliquer de nouveau ; il s'en montrait touché, laissait parfois son bras sur mon épaule, me répétant souvent : 'Mon cher, vous me faites du bien !' La douleur s'étant calmée, il a sommeillé quelques instants ; puis, rouvrant les yeux : 'Ai-je dormi longtemps, m'a-t-il dit, vous êtes-vous bien ennuyé ?' et il m'appelait alors son frère hospitalier, le chevalier de Malte de Sainte-Hélène. La douleur ayant repris plus vivement que jamais, il a fait venir le docteur, qui lui a trouvé de la fièvre ; le froid de la veille était revenu ; il s'est vu forcé de se rapprocher du feu.

Lundi 28.

L'eau en général est assez rare à Longwood ; mais depuis quelque temps cette rareté a singulièrement augmenté, et c'est une grande affaire aujourd'hui que de pouvoir procurer un bain à l'Empereur. Nous ne sommes pas mieux sous tous les autres rapports de secours médical : hier le docteur parlait devant l'Empereur de drogues, d'instruments, de remèdes nécessaires ; mais à chacun d'eux il ajoutait :

— Malheureusement il n'y en a point dans l'île.

— Mais, lui a dit l'Empereur, en nous envoyant ici, on a donc pris l'engagement que nous nous porterions bien, et toujours ?

En effet, les plus petites choses et les plus nécessaires manquent. L'Empereur, pour faire bassiner son lit, n'a trouvé d'autre moyen que de faire percer une de ces grandes boules d'argent dont on se sert pour tenir les plats chauds à table, et d'y introduire des charbons. Depuis deux nuits il sent inutilement le besoin d'esprit de vin, qui pût lui tenir chaude quelque boisson nécessaire, etc.

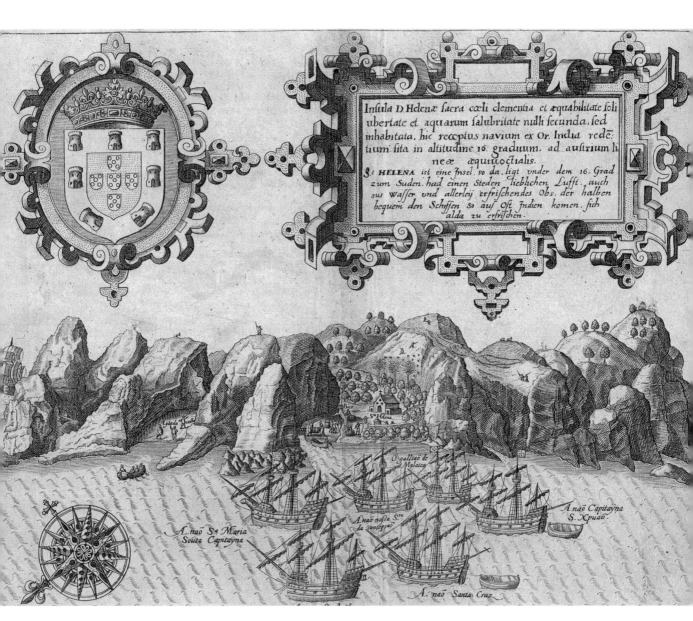

Insula D. Helenæ sacra cœli clementia et æquabilitate soli uberitate et aquarum salubritate nulli secunda, sed inhabitata, hic receptus navium ex Or. India redetium sita in altitudine 16. graduum. ad austrium lineæ æquinoctialis.

S. HELENA ist eine Insel, so da, ligt under dem 16. Grad zum Suden, had einen Steden lieblichen Lufft, auch sus Waßer und allerleij erfrischendes Obs. der halben bequem den Schiffen so auß Ost Indien komen, sich alda zu erfrischen.

L'Empereur a continué de souffrir tout le jour ; sa joue demeurait très enflée, mais la douleur était moins vive. [...] Il s'est vu forcé, comme hier, de se mettre au lit de bonne heure. Il devait avoir de la fièvre, car il souffrait du froid. Il n'avait mangé qu'une soupe depuis la veille, et se sentait des dispositions à des étourdissements. Il trouvait son lit mal fait, les couvertures mal arrangées ; rien n'allait, disait-il ; et il a essayé de faire raccommoder le tout tant bien que mal, remarquant à ce sujet que tout ce qui l'entourait n'était calculé que sur sa bonne santé, et que chacun se trouverait sans expérience et sans doute bien gauche, s'il venait jamais à être sérieusement malade.

Jeudi 31.

Le temps s'était mis au beau ; la température aujourd'hui était délicieuse. Il y avait six jours que l'Empereur gardait la chambre ; fatigué de la monotonie de son mal, il a résolu de violer, disait-il, la loi du docteur. Il est sorti ; mais il se sentait si faible, qu'il pouvait à peine marcher. Il a fait demander sa calèche, et nous avons fait un tour. Il était triste et silencieux. Il souffrait beaucoup, surtout des boutons qui couvraient ses lèvres.

Résumé de juillet, août, septembre, octobre.

Le résumé habituel ne saurait être long désormais ; trois phrases, à la rigueur, pourraient suffire :

Tourments au comble.

Réclusion absolue.

Destruction infaillible.

Le reste de la vie de Napoléon ne sera plus qu'une cruelle et longue agonie.

On a vu que l'arrivée du nouveau gouverneur avait été pour nous le signal d'une sinistre existence. Peu de jours avaient suffi pour dérouler ses dispositions malfaisantes. Bientôt les tourments, les outrages dont il se dit l'intermédiaire, ou qu'il créa lui-même,

Sainte-Hélène

Si cette île fut très tôt une halte commode pour les navigations transocéaniques des grandes puissances maritimes, elle n'avait pas pour autant les attraits d'une nouvelle Cythère : cette gravure du XVIIe siècle décrit parfaitement le caractère lugubre de l'endroit. Le commentaire indique pourtant que l'air y est agréable et l'eau abondante : Napoléon n'aurait pas partagé ce point de vue.

Gravure portugaise de 1615.

13

furent au comble : il frappa de terreur les habitants à notre égard ; il accumula sur nous les vexations les plus ridicules... [...] Les attaques sur Napoléon étaient incessantes ; les tourments, de tous les instants. Il ne se passait pas de jour sans nouvelles blessures. [...]

Dans cette période, la santé de l'Empereur a constamment et grandement décliné ; ce corps, cru si robuste, qui avait résisté à tant de travaux, qu'avaient épargné tant de fatigues, qu'avaient soutenu les victoires et la gloire, courbait désormais sous des infirmités que hâtait la méchanceté des hommes. C'était presque chaque jour quelque incommodité nouvelle, des ressentiments de fièvre, des fluxions violentes, des symptômes de scorbut, des rhumes continuels ; les traits s'altéraient, la marche devenait pesante, les jambes se gonflaient, etc. Nos cœurs se déchiraient de le voir courir vers une destruction infaillible et prochaine ; tous nos soins n'y pouvaient rien.

Il avait renoncé depuis longtemps au cheval, et finit par renoncer à peu près aussi à la calèche ; même la simple promenade à pied devint rare, et il se trouva réduit, à peu de chose près, à la stricte réclusion de ses appartements. Il ne s'occupait plus désormais d'un travail suivi et régulier ; il ne nous dictait guère qu'à de longs intervalles et sur des sujets de pure fantaisie du moment. Il passait la plus grande partie du jour seul dans sa chambre, occupé à feuilleter quelques livres, ou plutôt ne faisant rien. C'est à ceux qui ont dignement jugé de toute la puissance de ses facultés, à apprécier la force d'âme qu'il lui fallait pour dévorer paisiblement la charge accablante d'un tel ennui, d'une aussi odieuse existence ; car, vis-à-vis de nous, c'était toujours la même sérénité de visage, la même égalité de caractère, le même piquant, la même liberté d'esprit, parfois même de la gaieté, de la plaisanterie ; mais dans les détails de l'intimité, il était aisé de s'apercevoir qu'il n'y avait plus en lui ni préoccupation de l'avenir, ni méditation du passé, ni souciance du présent ; il obéissait passivement désormais à la nature physique ; et, dans l'entier dégoût de la vie, le terme en était peut-être le secret désiré..."

Etait-ce là l'homme de la campagne d'Italie, de Marengo et d'Austerlitz ? Celui qui avait conquis ou soumis l'Europe, et dont la course s'était perdue dans les steppes de Russie ? Etait-ce là l'homme qui, neuf ans seulement auparavant, rencontrait le tsar *Alexandre Ier* sur le radeau de Tilsit ?

C'était le 25 juin 1807. Quelques jours plus tôt, la Grande Armée avait brisé les forces russes de **Bennigsen**, qui s'était vu contraint à demander un armistice. **Frédéric-Guillaume III de Prusse**, réfugié en Russie, implorait l'hospitalité du Tsar. La France lui confisquait tous ses Etats à l'ouest de l'Elbe. La Prusse de **Frédéric le Grand** avait cessé de vivre.

Au lendemain de la bataille. Napoléon avait adressé une proclamation à ses soldats victorieux :

"Soldats,

Le 5 juin nous avons été attaqués dans nos cantonnements par l'armée russe. L'ennemi s'est mépris sur les causes de notre inactivité. Il s'est aperçu trop tard que notre repos était celui du lion : il se repent de l'avoir troublé.

Dans les journées de Guttstadt, de Heilsberg, dans celle à jamais mémorable de Friedland, dans dix jours de campagne enfin, nous avons pris 120 pièces de canon, 7 drapeaux, tué, blessé ou fait prisonniers 60 000 Russes, enlevé à l'armée ennemie tous ses magasins, ses hôpitaux, ses ambulances, la place de

Koenigsberg, les 300 bâtiments qui étaient dans ce port, chargés de toutes espèces de munitions, 160 000 fusils que l'Angleterre envoyait pour armer nos ennemis.

Des bords de la Vistule nous sommes arrivés sur ceux du Niémen avec la rapidité de l'Aigle. Vous célébrâtes à Austerlitz l'anniversaire du couronnement, vous avez cette année dignement célébré celui de la bataille de Marengo, qui mit fin à la guerre de la seconde coalition.

Français ! Vous avez été dignes de vous et de moi. Vous rentrerez en France couverts de lauriers, et après avoir obtenu une paix glorieuse qui porte avec elle la garantie de sa durée. Il est temps que la patrie vive en repos, à l'abri de la maligne influence de l'Angleterre. Mes bienfaits vous prouveront ma reconnaissance, et toute l'étendue de l'amour que je vous porte.

Au camp impérial de Tilsit, le 22 juin 1807."

Un témoin oculaire appartenant à la Garde impériale, *Coignet*, a laissé de la rencontre de Tilsit un saisissant portrait :

"Nos officiers nous annoncent qu'il s'agissait de recevoir l'empereur **Alexandre**, qu'on préparait un radeau sur le fleuve, que les deux souverains allaient se voir et s'entendre pour la conclusion de la paix. Quelle joie dans nos cœurs ! C'était donc fini !

Les chefs vinrent parmi nous veiller à ce que rien ne manquât à notre tenue, que les queues fussent bien faites et les buffleteries bien blanches.

Quand tout fut prêt, vers les onze heures du matin, nous nous portâmes sur les bords du fleuve. Là, nous attendait le plus beau spectacle que jamais homme ne verra.

Au milieu du Niémen se trouvait un grand radeau, garni de larges et magnifiques tentures, et, sur le côté gauche, un pavillon. Aux deux rives était amarrée une barque richement décorée.

Napoléon arriva vers une heure de l'après-midi, et se plaça avec son état-major dans l'une d'elles, montée par les marins de la garde. **Alexandre** occupa l'autre.

Au même signal, les deux empereurs se mettent

Adieux de Napoléon et d'Alexandre Ier à Tilsit, le 9 juillet 1807

Lorsqu'il rencontra le tsar Alexandre sur le radeau ancré au milieu du Niémen, Napoléon pouvait prétendre avoir dompté l'Europe. Seule, la Grande-Bretagne demeurait insoumise. A 38 ans, il était au faîte de sa gloire. Ses relations avec le Tsar, alors âgé de 30 ans, furent immédiatement excellentes. "Il me plaisait et je l'aimais..." confiera-t-il. La séparation fut douloureuse. Pourtant, un fossé sans cesse croissant allait se creuser entre eux, jusqu'au conflit fatal.

Giocachino Guiseppe Serangelli (1768-1856), salon de 1810. Musée du château de Versailles.

en marche. Ils avaient chacun le même trajet à parcourir et le même nombre de degrés à monter pour atteindre la plate-forme du radeau. Mais notre Napoléon arriva le premier.

Lorsque les deux souverains eurent gagné tous deux le lieu du rendez-vous, on les vit s'embrasser comme deux frères. Les troupes, accumulées sur les deux rives, poussèrent des acclamations frénétiques. Toute la vallée en retentit.

Après l'entrevue, qui fut très longue, chaque empereur se retira de son côté [...] Le lendemain, toute la garde se rangea sur trois rangs des deux côtés de la grande rue de Tilsit, et Napoléon alla au-devant d'**Alexandre** jusque sur le bord du fleuve. Le roi de Prusse ne s'y trouvait pas. Quel beau coup d'œil! Ces deux empereurs, ces princes, ces maréchaux, tous revêtus des plus riches costumes!

L'empereur de Russie, en passant devant nous, dit à notre **colonel Frédéric**, du premier régiment:

'— Vous avez là une belle garde, colonel!

— Et bonne, sire, ajouta **Frédéric** [Friederichs].

— Je le sais, répondit **Alexandre**.'

Le roi de Prusse vint peu après rejoindre les deux empereurs, et Napoléon régala ses hôtes d'une belle revue de sa garde, ainsi que du troisième corps d'armée commandé par le **maréchal Davout**. Nous étions en grande tenue, brillante comme à Paris. Les troupes du maréchal ne nous le cédaient en rien. Napoléon eut droit d'être fier."

Napoléon fut vraiment le héros de ces journées de Tilsit. Ses drapeaux flottaient de l'Atlantique au Niémen et il était en mesure d'imposer ses vues à ses deux adversaires vaincus. Surtout, il pouvait convaincre le Tsar de s'allier avec lui contre l'Angleterre. **Alexandre** était jeune, sentimental, mystique et versatile, désespéré par la défaite, séduit par ce vainqueur qui lui pardonnait tout et qui lui proposait une alliance en plus de son amitié. Par intérêt, mais aussi parce qu'il se sentait attiré par le génie d'un homme qui avait bouleversé l'Europe, le Tsar se rendit aux raisons de son ancien ennemi. Mieux même, il lui voua une amitié si profonde qu'un jour, trahie, elle se transformerait en haine inextinguible.

Respectivement âgés de 30 et de 38 ans en 1807, **Alexandre** et Napoléon se rencontraient chaque soir en tête à tête et refaisaient le monde. Quelle était la teneur des "causeries" confidentielles des deux maîtres de l'Europe? Une lettre de Napoléon à **Alexandre**, datée du 2 février 1808, peut aider à s'en faire une idée:

"Votre Majesté aura vu les derniers discours du parlement d'Angleterre, et la décision où l'on y est de pousser la guerre à outrance. Ce n'est plus que par de grandes et vastes mesures que nous pouvons arriver à la paix et consolider notre système. Que Votre Majesté augmente et fortifie son armée. Tous les secours et assistance que je pourrai lui donner, elle les recevra franchement de moi; aucun sentiment de jalousie ne m'anime contre la Russie, mais le désir de sa gloire, de sa prospérité, de son extension...

Une armée de 50 000 hommes, russe, française, peut-être même un peu autrichienne, qui se dirigerait par Constantinople sur l'Asie, ne serait pas arrivée sur l'Euphrate, qu'elle ferait trembler l'Angleterre, et la mettrait aux genoux du continent. Je suis en mesure en Dalmatie; Votre Majesté l'est sur le Danube. Un mois après que nous en serions convenus, l'armée pourrait être sur le Bosphore. Le coup en retentirait aux Indes, et l'Angleterre serait soumise...

Tout peut être signé et décidé avant le 15 mars. Au 1er mai, nos troupes peuvent être en Asie. Alors les Anglais, menacés dans les Indes, chassés du Levant, seront écrasés sous le poids des événements dont l'atmosphère sera chargée. Votre Majesté et moi aurions préféré les douceurs de la paix et de passer notre vie au milieu de nos vastes empires, occupés de les vivifier et de les rendre heureux par les arts de la paix et les bienfaits de l'administration; les ennemis du monde ne le veulent pas. Il faut être plus grands, malgré nous. Il est de la sagesse et de la politique de faire ce que le destin ordonne et d'aller où la marche irrésistible des événements nous conduit. Alors cette nuée de pygmées, qui ne veulent pas voir que les événements actuels sont tels qu'il faut en chercher la comparaison dans l'Histoire et non dans les gazettes du dernier siècle, fléchiront et suivront le mouvement que Votre Majesté et moi auront ordonné; et les peuples russes seront contents de la gloire, des richesses et de la fortune qui seront le résultat de ces grands événements.

Dans ce peu de lignes, j'exprime à Votre Majesté mon âme tout entière. L'ouvrage de Tilsit réglera les destins du monde. Peut-être, de la part de Votre Majesté

et de la mienne un peu de pusillanimité nous portait à préférer un bien certain à présent à un état meilleur et plus parfait ; mais, puisque enfin l'Angleterre ne veut pas, reconnaissons l'époque arrivée des grands changements et des grands événements."

L'homme qui écrivait ces lignes était à l'apogée de sa puissance. L'Italie et l'Allemagne lui étaient soumises, l'Autriche n'osait se rebeller, il se préparait à envahir l'Espagne. La Russie était son alliée et le Tsar se prétendait son ami. Seule la Grande-Bretagne osait encore lui résister, avec l'énergie du désespoir. Tout lui souriait.

Et pourtant, neuf ans plus tard, le voilà errant sur le rocher de Sainte-Hélène, désespéré à son tour, usé par l'exercice soutenu du pouvoir, n'attendant plus rien de la vie, s'abandonnant à la maladie qui le ronge lentement et méditant les temps forts de son extra-ordinaire destinée. Jeune officier à la veille de la Révolution, aventurier en Corse, conquérant de l'Italie, maître de l'Egypte, Premier Consul, Empereur…

Toute son épopée avait duré moins de vingt ans. A *Las Cases*, il confiait, en évoquant un homme qui avait dépassé trente ans :

"*A cet âge, […] j'avais fait toutes mes conquêtes, je gouvernais le monde ; j'avais apaisé la tempête, fondu les partis, rallié une nation, créé un gouvernement, un empire, il ne me manquait que le titre d'Empereur… J'ai été gâté, il faut en convenir, j'ai toujours commandé, dès mon entrée dans la vie, je me suis trouvé nanti de la puissance, et les circonstances et ma force ont été telles, que dès que j'ai eu le commandement, je n'ai plus connu ni maîtres ni lois…*"

Vie de Napoléon en huit chapeaux

Cette sorte de charade permettait de raconter les fastes de l'Empire et ses moments tragiques sans représenter l'Empereur, au moment où la monarchie restaurée s'inquiétait de la place que prenait le "Petit Caporal" dans les cœurs populaires.

Baron Charles de Steuben (1788-1856).

Musée de La Malmaison.

NAPOLÉON BUONAPARTE

1769-1789

Une enfance corse : 1769-1778

L'île rebelle

Lorsque naquit Napoléon, le 15 août 1769, la Corse était française depuis un an et quelques mois seulement. *Louis XV* l'avait officiellement achetée à la République de Gênes en mai 1768, satisfait de s'assurer ainsi la possession d'une île d'un grand intérêt stratégique dans cette région de la Méditerranée. Tout à ses vastes calculs politiques, le roi de France avait pourtant négligé un détail important : les Corses n'avaient aucune envie de devenir français, aspirant depuis très longtemps à une pleine et entière indépendance.

Leur chef politique, militaire et spirituel, était alors *Pascal Paoli*, que l'on avait affectueusement surnommé le "Babbo". Né en 1725, il avait dû suivre son père, patriote convaincu, dans son exil à Naples, dès 1739, où il fit ses études. En 1755, il revint en Corse où il fut proclamé général de la nation. Il jouait ainsi un rôle éminent dans sa patrie depuis le milieu du XVIIIᵉ siècle et prétendait, à juste titre, incarner l'âme de la résistance corse. *Paoli* avait longuement lutté contre la domination des Génois, parvenant à "libérer" l'intérieur de l'île en repoussant leurs garnisons dans les villes du littoral.

Arguant de ce que les Corses n'avaient pas été consultés quant à la cession de leur pays à la France, *Paoli* rassembla ses partisans et déclara la guerre à *Louis XV*. Les quelques troupes françaises débarquées dans l'île furent rejetées à la mer et il fallut près d'un an de combats pour que, le 8 mai 1769, *Paoli* soit enfin vaincu à Ponte Nuovo. Il réussit à s'enfuir et s'exila en Angleterre, en attendant de reparaître sur le devant de la scène.

Les Buonapartes

Le désarroi des patriotes corses fut grand : que pouvaient-ils faire contre l'énorme puissance de leur envahissante voisine ? Se rencogner dans leurs montagnes ? Prendre le maquis en espérant des jours meilleurs ? Certains le firent. Ancien lieutenant de *Paoli, Charles Buonaparte* opta pour la collaboration, ce qui décida du destin de son fils et de millions d'hommes.

Son caractère intrigant et la nécessité qu'il avait de nourrir sa famille l'aidèrent à faire ce choix dont il n'eut pas à se repentir. La France accorda son pardon à tous les rebelles et les *Buonapartes – Charles* et son épouse *Laetitia* – purent rentrer à Ajaccio pour la naissance de leur deuxième fils, prénommé Napoléon en l'honneur d'un oncle mort deux ans auparavant. L'aîné, *Joseph*, était né en 1768. D'autres enfants suivraient au fil des ans : *Lucien* (1775), *Elisa* (1777), *Louis* (1778), *Pauline* (1780), *Caroline* (1782) et *Jérôme* (1783).

Ils habitaient, rue Malerba (rue de la Mauvaise Herbe), une maison partagée avec quelques cousins, dont les *Pozzo di Borgo*. Un lourd antagonisme séparait les membres des deux clans qui s'affrontaient souvent, au moins verbalement, pour des peccadilles.

Car la famille *Buonaparte*, si elle était de fortune relativement modeste (possédant tout de même trois maisons, des vignes et un moulin), savait se montrer orgueilleuse et fière. Issue de Toscane, installée depuis plusieurs siècles à Ajaccio, elle pouvait prétendre à quelque noblesse. Sa tête pensante, son âme, était celle que l'on appellerait plus tard "*Madame*

Laetitia" : c'est sous son autorité ferme et implacable que le futur empereur vivra ses premières années. Le père, quant à lui, tenait moins de place dans la vie familiale : avocat au barreau d'Ajaccio, amateur de jolies femmes et joueur impénitent, il intriguait avec brio pour sa réussite et pour celle des siens, quémandant des subsides afin de pouvoir tenir son rang et nourrir sa famille. Autrefois ses ennemis jurés, les Français étaient bientôt devenus ses meilleurs alliés. Le gouverneur de la Corse, le *marquis de Marbeuf*, fut tout naturellement admis dans l'intimité de la famille Buonaparte, et peut-être même dans celle de *Madame Laetitia*, si l'on en croit certains bruits malveillants…

Celle-ci avait pourtant beaucoup à faire pour élever sa nichée. Les revenus de *Charles* étant fort maigres malgré son statut de notable (il avait été nommé assesseur de la juridiction royale d'Ajaccio en 1771), *Laetitia* devait tout compter et éviter absolument le moindre gaspillage.

"Vous serez pauvres, mais il vaut mieux avoir un beau salon, un bel habit, un beau cheval et paraître à l'extérieur – et ensuite manger du pain chez soi…" enseignera-t-elle à ses huit enfants.

Ces habitudes de parcimonie ne la quitteront jamais et l'on se moquera beaucoup de son avarice et de sa prévoyance.

"J'ai sept ou huit souverains qui me retomberont un jour sur les bras", expliquait-elle sous l'Empire à ses familiers pour justifier les économies réalisées sur son million de livres de rente. Sans doute la considéraient-ils avec une commisération mêlée de jalousie : une mère d'Empereur veillant sur ses chandelles ! Cette manie laissait perplexe l'aristocratie des vieilles cours d'Europe, dont le train de vie dispendieux apparaissait comme une seconde nature. Mais *Madame Laetitia* savait la versatilité du Destin, et la suite des événements devait lui donner raison.

Premières années

Enfant d'un naturel chétif dont il portera les stigmates jusqu'au seuil de l'âge adulte, Napoléon gagna bientôt en vigueur à tel point que, son tempérament querelleur aidant, il en vint à rosser régulièrement son frère aîné et ses compagnons de jeu. Sa première éducation ne fut pas trop négligée : après avoir suivi quelques cours chez les sœurs béguines d'Ajaccio,

il fut placé chez l'*abbé Recco* qui lui enseigna les rudiments du calcul – pour lequel il avait quelque disposition – de la lecture et de l'écriture (en dialecte corse), domaines dans lesquels il se montrait moins doué. Se souvenant, beaucoup plus tard, de cette époque difficile, *Madame Laetitia* confiera :

"Au début de ses études, Napoléon fut celui de mes enfants qui me donna le moins d'espérances ; il resta longtemps avant d'avoir quelque succès. Quand, plus tard, il reçut, enfin, une bonne attestation de ses maîtres, il me l'apporta avec empressement ; après me l'avoir montrée, il la posa sur une chaise et s'assit dessus avec la fierté d'un triomphateur."

Les anecdotes abondent, plus ou moins fondées, quant aux premières manifestations de son caractère impérieux : mais il est indéniable que celui-ci le fit bientôt destiner à la carrière militaire, tandis que *Joseph* irait au séminaire.

Soucieux de profiter au mieux de ses amitiés françaises et de préserver la fortune familiale des dépenses inhérentes à l'éducation de ses fils, *Charles Buonaparte* avait, en effet, conçu l'idée de les envoyer étudier en France, où ils seraient pris en charge par l'administration royale en tant qu'humbles boursiers.

Ces projets étaient favorisés par l'excellent *Monsieur de Marbeuf* qui, non content de veiller aux intérêts de *Charles*, voulait bien se préoccuper de l'avenir de ses enfants. Le père de Napoléon avait réussi, grâce à l'appui de son protecteur, à se faire élire député de la noblesse, délégué des Etats de Corse à Versailles. Il profita du voyage pour emmener ses fils avec lui, les déposant au passage chez l'évêque d'Autun, *Monseigneur de Marbeuf*, frère du gouverneur. Là, Napoléon attendrait d'être envoyé dans l'école militaire qui voudrait bien de lui, tandis que son père se démènerait dans les antichambres ministérielles pour lui obtenir une place.

A la fin de décembre 1778, le futur empereur quitta donc son île natale en compagnie de son père et de son frère *Joseph*. Agé de neuf ans seulement, il abandonnait cette île de Beauté qu'il aimait tant, sa mère et son enfance, tout ce qui avait compté pour lui jusqu'alors. Un pays étranger l'attendait dont il ne connaissait pas la langue, un pays qui était depuis longtemps, dans son esprit d'enfant bercé par les récits maternels, l'oppresseur exécré de sa patrie corse.

Premier portrait connu de Napoléon Buonaparte

Ce profil, sans doute proche du modèle, fut exécuté d'après nature par un de ses condisciples à Brienne, en 1783. Napoléon décrira la réaction effrayée de sa mère, en le retrouvant, lors d'une visite au collège.

Mio Caro Amico
Buonaparte
Pontornini del 1785
Tournon

Une jeunesse française : 1778-1789

C'est pourtant une éducation française que recevra Napoléon Buonaparte, au collège d'Autun d'abord, puis à l'école militaire de Brienne, et à Paris enfin.

Le séjour du futur empereur à Autun ne dura que quelques mois (janvier à mai 1779). Son père avait poursuivi jusqu'à Paris, où il fit le siège des administrations afin d'obtenir une place pour son fils. Napoléon, lui, n'avait rien de plus pressé que de quitter ce collège d'Autun où son frère *Joseph* s'était fait accepter par leurs camarades, tandis que lui-même demeurait un objet de dérision.

Les intrigues de *Charles* avaient fini par porter leurs fruits : au printemps de 1779, le ministre de la Guerre l'avertit que son fils avait obtenu une place à Brienne, où il entra en mai de la même année tandis que *Joseph* restait à Autun pour y faire son séminaire.

A Brienne

Le petit Corse ne sut pas se faire aimer de ses condisciples français ; il ne fit d'ailleurs aucun effort en ce sens, souffrant de son exil et se réfugiant dans une ombrageuse réserve. Il ne parlait presque pas la langue de ses camarades et son aspect physique, conjugué à un caractère colérique, fit de lui leur principal sujet de moquerie. Son prénom surtout, prononcé à la corse, suscitait leurs railleries :

"Napolione ! Na-paille-au-nez !"

Drapé dans son orgueil et dissimulant de son mieux son amour-propre blessé, Napoléon se sentit d'autant plus hostile à la France que les Français lui étaient antipathiques. La légende du vieux *Paoli* prenait à ses yeux une dimension quasi mystique ; le souvenir du grand chef corse ne le quittait que rarement. Il l'idolâtrait si bien qu'un jour, à l'un de ses professeurs qui lui avait imprudemment demandé :

"*Comment se fait-il que vous ayez été battus ? Vous aviez* **Paoli***, qui passait pour un bon général !*"

Il répondit vertement : "*Si Monsieur, il l'était, et je voudrais lui ressembler !*"

Ses amis étaient rares. *Bourrienne* était son confident le plus intime et, dans ses moments de désespoir, il lui promettait :

"*Je ferai tout le mal que je pourrai à tes Français !*"

C'est au cours de ces années que se forgea véritablement son caractère : d'impérieux, il devint dominateur. Son modèle préféré étant *Paoli*, il se rêva bientôt combattant à ses côtés – comme l'avait autrefois fait son père avant de trahir la Cause – et, peut-être, recueillant un jour sa succession. A l'âge de dix ans, Napoléon Buonaparte ne concevait pas d'autre destinée que celle de libérateur de la Corse opprimée par ceux-là même qui l'oppressaient lui-même. Sa misère personnelle se confondait avec celle de sa patrie, les unissant d'un lien qui se raffermissait tous les jours.

Ces songes d'enfant malheureux et éloigné des siens faisaient de lui un élève rebelle, batailleur et pour le moins indiscipliné, supportant avec impatience l'autorité de maîtres qu'il n'aimait pas et qui le lui rendaient bien. Mauvais en langues, peu doué pour les arts ou les belles-lettres, ennemi déclaré des grâces mondaines et de la danse, il n'obtenait de bons résultats qu'en mathématiques.

A l'hiver 1783, ce fut le fameux épisode de la bataille de boules de neige improvisée dans la cour de l'école. Mais ce succès moral fut de courte durée, et Napoléon décida de se consacrer à l'étude du Français afin que cessent enfin les sarcasmes dont il était l'objet. Mais trente ans plus tard, à l'agonie de l'Empire, il continuera parfois à employer d'étranges expressions qui trahiront son origine corse.

L'élève-officier eut le bonheur de revoir son père, de passage dans la région, durant l'été 1784. Sa mère, elle, lui avait rendu visite deux ans auparavant :

"*Elle fut si effrayée de ma maigreur et de l'altération de mes traits qu'elle prétendit qu'on m'avait changé et qu'elle hésita quelque temps à me reconnaître. J'étais en effet très changé, parce que j'employais à travailler les heures de récréation [...] Ma nature ne pouvait pas supporter l'idée de ne pas être tout d'abord le premier de ma classe.*"

Napoléon était maintenant âgé de quinze ans. Il se préparait au concours qui lui permettrait d'entrer à l'Ecole militaire de Paris. Le maréchal de camp

A Paris

chevalier de Keralio, ancien inspecteur de Brienne, déclarait alors dans un rapport qui ne brillait pas par sa clairvoyance :

"Bonne constitution, excellente santé, caractère soumis. Honnête, et reconnaissant, sa conduite est très régulière. Il s'est toujours distingué par son application aux mathématiques. Il sait passablement l'histoire et la géographie. Il est très faible dans les exercices d'agrément."

Sa conclusion ne manque pas de saveur, quand on connaît la suite : *"Ce sera un excellent marin."*

L'inspecteur officiel, *Reynaud des Monts*, interrogea l'élève Buonaparte à la fin septembre et le déclara apte à entrer à l'Ecole militaire. Le 17 octobre 1784, le futur "marin" quittait Brienne avec quatre de ses camarades. Quelques jours plus tard, ils entraient dans la capitale.

Le premier contact avec l'Ecole fut désagréable : les sous-officiers chargés d'encadrer les nouveaux venus avaient *"le commandement haut et le ton militaire"*, chose pourtant peu étonnante dans une institution formant de futurs officiers… Mais Napoléon Buonaparte, d'esprit rebelle et de tempérament corse, ne supportait guère de recevoir des ordres. Le maniement des armes n'emportait pas son adhésion. Un jour où l'"Ancien" commandant l'exercice lui donnait des coups de baguette sur les doigts pour le rappeler à l'ordre, le jeune Corse lui jeta son fusil à la tête et proclama qu'il ne recevrait plus de leçons de sa part.

Mauvais à l'exercice, avant-dernier en mathématiques, qui étaient son point fort, l'élève Buonaparte n'était pas un sujet de satisfaction pour ses nouveaux

La mythique bataille de boules de neige au collège de Brienne

C'est à l'hiver 1783, particulièrement rigoureux cette année-là, que l'on situe la fameuse scène où le jeune guerrier aurait manifesté ses dons exceptionnels de stratège. Il est certain que les témoignages concordent pour décrire un Buonaparte impétueux, et bientôt dominateur.

Horace Vernet (1789-1863), daté 1822.

maîtres. Ceux-ci faisaient cependant preuve d'une patience infinie à son égard, le confiant à l'un de ses condisciples, *Alexandre des Mazis*, pour l'apprivoiser, et l'admettant au bataillon malgré son ignorance des manœuvres à effectuer. Le "Reposez... Armes !", cher à toutes les armées de la terre, laissait l'adolescent rêveur, si rêveur même qu'il en oubliait le commandement et restait le seul à conserver son fusil en l'air... au grand désespoir du maître, qui implorait :

"Monsieur Buonaparte, réveillez-vous donc ! Vous faites toujours manquer les temps d'exercice !"

Mais Monsieur Buonaparte craignait de se réveiller : il songeait à la Corse, qu'il n'avait pas vue depuis plus de six ans. Ses professeurs auraient sans doute été très favorables à ce retour : il lisait des livres d'histoire en cours d'allemand, était chassé de la classe d'écriture, décourageait son professeur de littérature qui renonçait à lire ses pattes de mouche, se chamaillait avec son maître d'histoire et géographie à propos de la Corse... L'escrime était l'une de ses grandes passions, mais il s'y adonnait avec une fougue absolument dénuée de méthode, poussant des cris sauvages sans se préserver des coups de son adversaire et brisant maints fleurets. Quand cette animation cessait, Napoléon apparaissait comme *"un petit jeune homme brun, triste, rembruni, sévère et cependant raisonneur et grand parleur"*. A cette époque, sa conversation tournait souvent autour des mêmes préoccupations : déblatérer contre les "tortionnaires" de sa patrie et maudire ceux qui le supportaient avec une exaspération croissante.

Le concours ouvert à toutes les écoles militaires royales eut lieu en septembre 1785. Napoléon fut reçu 42e sur 58 admis. L'un des examinateurs nota ses impressions : *"Réservé et laborieux, préfère l'étude à toute sorte d'amusement, se plaît à la lecture des bons auteurs ; très appliqué aux sciences abstraites ; peu curieux des autres ; connaissant à fond les mathématiques et la géographie ; silencieux, aimant la solitude, capricieux, hautain, extrêmement porté à l'égoïsme, parlant peu, énergique dans ses réparties, ayant beaucoup d'amour-propre, ambitieux et aspirant à tout ; ce jeune homme est digne qu'on le protège"*.

A l'automne 1785, Napoléon Buonaparte quitta l'Ecole militaire de Paris à la satisfaction de tous. Lui-même ne s'en plaignait pas : il était promu lieutenant en second et affecté au régiment de La Fère, à Valence. C'était pour lui le début d'une nouvelle vie.

La vie de garnison

Charles Buonaparte était mort à Montpellier en février 1785. Sa disparition augmentait les responsabilités familiales de l'adolescent qui, bien que n'étant pas l'aîné, montrait plus de caractère que son frère *Joseph*. Sa nomination au grade d'officier d'artillerie (il n'y avait pas de place dans la marine cette année-là) lui permettait d'en finir avec ses études, de gagner enfin sa vie et de faire parvenir de l'argent à sa mère. Et puis, chose essentielle pour le jeune Corse si avide de voir son mérite reconnu, il était devenu *quelque chose* à défaut d'être encore quelqu'un.

"J'ai été officier à l'âge de seize ans quinze jours", écrira-t-il plus tard dans ses souvenirs de jeunesse. Et cette phrase si simple ne cherchait pas à dissimuler l'immense fierté ressentie par l'Empereur à la réception de son premier grade.

Logé en ville chez *Mademoiselle Bou*, le petit lieutenant coule alors des jours agréables entre un service assez peu prenant, des repas entre camarades, des bals, des excursions dans le Dauphiné, et quelques réceptions dans la "haute" société de la ville. C'est ainsi qu'il fréquente une *Madame du Colombier*, et surtout sa fille, *Mademoiselle Caroline*, avec laquelle il ira cueillir des cerises... en toute innocence. Dans le secret de sa chambre, il consacre aussi beaucoup de temps à lire et à écrire. Ses lectures, diverses et très étendues, lui donneront un avantage considérable quelques années plus tard, quand son imagination prodigieuse, nourrie par ses connaissances historiques et juridiques, géographiques et philosophiques, le placera bien au-dessus de ses compétiteurs pour le pouvoir. Les livres lui donneront une profondeur de vue, une puissance de vision qui, parfois prophétiques, allaient plus loin que celles de ses contemporains. L'époque aidant, il se passionnait alors pour *Rousseau* et le *Contrat social*... Cela changerait.

Il entreprit vaillamment une *Histoire de Corse*, désormais magnifiée dans son esprit par toutes les représentations idéales qu'en avaient fait ses auteurs favoris. Il commit aussi une invocation déclamatoire aux héros de la liberté corse. Une autre fois, ce fut une méditation romantique : *"Toujours seul au milieu des hommes, je rentre pour rêver avec moi-même et me livrer à toute la vivacité de ma mélancolie. De quel côté est-elle tournée aujourd'hui ? Du côté de la mort..."*

Il ne pensait d'ailleurs pas qu'à la sienne :

"Si je n'avais qu'un homme à détruire pour délivrer mes compatriotes, je partirais au moment même, et j'enfoncerais dans le sein des tyrans le glaive vengeur de ma patrie et des lois violées..."

Son rêve corse ne l'avait toujours pas abandonné ; il aurait suffi d'une émeute et de la réapparition de *Paoli* pour que le lieutenant en second Buonaparte, qui arborait si fièrement l'uniforme des artilleurs de Sa Majesté, se transformât incontinent en l'un des plus ardents patriotes corses. Son île l'habitait, déformée par tant d'années d'absence et tant de misères endurées…

Le moment approchait pourtant où il pourrait la revoir : en août 1786, estimant que ses six premiers mois au corps lui avaient fait mériter quelque repos, il obtint son congé semestriel. Ne se tenant plus de joie, il se précipita sur le chemin du retour, assimilant la Corse à la Terre Promise… Mais auparavant il écrivit, dubitatif et soudain inquiet :

"Quel spectacle verrai-je dans mon pays ? Mes compatriotes chargés de chaînes et qui baisent en tremblant la main qui les opprime ?"

Le retour en Corse fut, de fait, très décevant pour le jeune exilé. Il retrouva avec joie sa famille agrandie des frères et sœurs nés en son absence, mais dut aller défendre sans attendre les intérêts financiers de la tribu, criblée de dettes depuis la mort de *Charles Buonaparte*. Il redécouvrit aussi son pays avec un enthousiasme d'abord juvénile, puis très rafraîchi :

"De ce moment, j'ai commencé à être désabusé sur l'amour de la liberté que je croyais trouver dans les cœurs corses."

Ses marches dans le maquis en compagnie des paysans du cru, ses discussions avec les indigènes le déçurent profondément. Où était donc la flamme des temps héroïques ? Où étaient les braves qu'il s'était si longtemps proposé de mener à l'attaque contre les Français abhorrés ? Il ne trouvait que des gens tièdes et résignés à "l'occupation étrangère", souriant à ses propos enflammés comme les adultes sourient devant les babillages d'un enfant déraisonnable… Et le pays paraissait si pauvre comparé aux opulentes villes de France ! Pour se consoler de ces délais, Napoléon continua de lire assidûment : *Rousseau* bien sûr (ne s'était-il pas répandu en éloges sur la Corse ?), mais aussi *Montesquieu, Tacite, Montaigne, Tite-Live, Racine, Platon* et quelques autres.

Du fait d'une première prolongation de congé en avril 1787, les affaires de sa famille devenant vraiment préoccupantes, le lieutenant Buonaparte put entreprendre un voyage à Paris à l'automne afin d'aller adresser ses diverses réclamations aux sièges mêmes des administrations. Ce séjour lui permit aussi de baguenauder dans la capitale, et particulièrement dans les environs du Palais-Royal, où "une personne du sexe" l'invita à faire bien autre chose que de cueillir des cerises…

Lors d'un bref retour en Corse de janvier à mai 1788, suite à une seconde prolongation de congé obtenue en décembre 1787 *"pour le rétablissement de sa santé"*, il trouva le moyen de manifester ses convictions indépendantistes à deux officiers de son régiment, qui le jugèrent *"sec et sentencieux pour un jeune homme de son âge"*.

Napoléon dut enfin se résoudre à rejoindre son corps à Auxonne : il en était tout de même parti vingt et un mois auparavant. Ce furent des temps difficiles pour le jeune officier, qui cherchait à économiser sur sa solde pour envoyer de l'argent à sa famille. Il vivait chichement, se faisait aigre et peu amène, prêt à se battre en duel au moindre prétexte. Son voisin, qui avait pris le "goût funeste" de donner du cor, l'exaspérait particulièrement. On faillit en venir aux mains, mais un Conseil de leurs camarades rendit un jugement de compromis : *"L'un ira jouer du cor plus loin, et l'autre sera plus endurant"*.

La cause de cette aigreur ? Un profond désespoir, certainement. Que restait-il de ses rêveries d'autrefois ? La Corse, soumise à "l'occupant" français, avait cruellement trahi son attente ; son avenir était tout tracé, il devrait, *ad vitam aeternam*, servir un peuple qu'il déclarait haïr – *"le plus hideux qui puisse exister"* – sans espérer accéder aux grades supérieurs, vu sa "petite" noblesse.

Le 1er janvier 1789, sa femme de ménage, toute remplie de bonnes résolutions, lui souhaita de devenir un jour général… Il soupira, laissant la plaie se refermer un peu, et murmura tristement :

*"Général ? Général ! Ah, ma pauvre **Thérèse**, je serais bien satisfait si j'arrivais au grade de commandant. Je n'en demanderais pas davantage…"*

On était à quelques mois du début de la Révolution française.

LE SOLDAT DE FORTUNE

1789-1804

L'aventurier de la Révolution : 1789-1796

Le patriote corse : 1789-1793

Le grand espoir : 1789-1791

"*L'égalité qui devait m'élever me séduisit*", dira plus tard l'Empereur en se remémorant les journées de 1789. Et pourtant, cette séduction paraît bien rétrospective si l'on étudie le détail de son emploi du temps d'alors.

En avril, le lieutenant en second Buonaparte aurait, de sa propre autorité, fait arrêter quelques moines de Cîteaux qui s'étaient montrés séditieux (voulant boire le vin de leurs vignes au lieu de le vendre). Il restait avant tout un soldat dont le devoir était de maintenir l'ordre face à la "canaille", prêt à tirer sur la foule s'il en recevait le commandement. Les idées nouvelles l'attiraient, mais elles demeuraient théories quand le chaos était directement sensible. Cette situation qui se dégradait chaque jour un peu plus, cette fermentation immense qui semblait ne plus pouvoir être apaisée le firent réfléchir au parti qu'il pourrait en tirer.

Prompt à la réflexion et à l'action, le jeune Napoléon sentit que l'heure viendrait bientôt d'accomplir de grandes choses dans sa patrie corse. Ses espoirs se portèrent tout naturellement vers **Paoli**, le vieil exilé d'Angleterre. A la mi-juin, le petit officier, ayant pris son courage à deux mains, écrivit de sa plus belle plume à son héros une lettre qui ne recevrait pas de réponse. La missive commençait par des termes peu équivoques : "*Je naquis quand la Patrie périssait [...] Les cris du mourant, les gémissements de l'opprimé, les larmes du désespoir environnaient mon berceau dès ma naissance...*"

Après le 14 juillet, ayant reçu des nouvelles de Paris et appris la prise de la Bastille, il se déclara "*singulièrement alarmé*". Mais s'inquiétait-il alors de l'avenir de la France ? Non : seule la Corse l'intéressait vraiment. Les conséquences des événements, il ne les envisageait que sous l'angle de son intérêt "patriote". Voyant que les choses évoluaient très rapidement (nuit du 4 août, abolition des Privilèges, Déclaration des Droits de l'Homme), il demanda un nouveau congé dès le 9 août. Ce congé lui fut accordé sans délai car il y avait droit. Il débarqua en Corse en septembre, heureux de voir enfin réunies les conditions propices à l'accomplissement de ses projets. Les soucis de la Couronne le servaient en affaiblissant l'autorité française. C'est cela qu'il voyait tout d'abord : "l'Egalité" ne viendrait que bien plus tard, quand il serait au-dessus de tous les autres.

Quand Napoléon Buonaparte débarqua à Ajaccio en cette fin de septembre 1789, il avait vingt ans et songeait n'avoir vécu que pour cet instant. Toute l'île était en effervescence : les opinions se divisaient en trois grandes tendances, le parti royaliste, le parti national se réclamant de **Paoli** dont on souhaitait le retour, et le parti populaire, bientôt républicain, avec à sa tête l'avocat **Salicetti**.

Celui-ci estimait que la Corse devait s'intégrer à la "nouvelle France", pour bénéficier de la Révolution en marche. Le second lieutenant Buonaparte les approuva malgré sa vénération pour **Paoli**, conscient de la nécessité où l'on était de s'allier aux révolutionnaires, fussent-ils français, pour vaincre la contre-révolution qui demeurait très puissante dans l'île. L'apathie populaire était très forte et les "masses" ne paraissaient que trop indifférentes aux événements

de France : malgré l'agitation politique des différents partis en présence, le drapeau fleurdelisé continuait de flotter sur tout le pays comme si de rien n'était.

De son côté, le commandant en chef des troupes royales, un certain *vicomte de Sarrin*, n'avait pour seul désir que de "tenir" ses forteresses et d'employer la patience et la douceur pour ramener les plus exaltés au calme. Cette sage politique empêchait l'épreuve de force mais ne pouvait être longtemps suivie sans danger. Déjà *Salicetti* et les siens avaient réclamé la constitution d'une Garde nationale, projet refusé par *Sarrin* et la noblesse royaliste.

Ce fut dans cette situation bien confuse que Napoléon décida de jouer le rôle auquel il se préparait depuis si longtemps ; sa formation militaire l'incitait à vouloir prendre le commandement des milices communales, tandis que son frère *Joseph*, secrétaire au "Comité ajaccien des 36", voulait être député.

Leurs plus grands adversaires étaient *Pozzo di Borgo* et *Peraldi*, particulièrement forts dans la région de Bastia et, d'une manière générale, beaucoup plus puissants et renommés qu'eux. Napoléon et son frère compensèrent leur manque de notoriété politique (l'exemple de la "trahison" de leur père devait notablement desservir leurs paroles enflammées) en se montrant prodigieusement actifs. Le lieutenant en second des armées de Sa Majesté écrivait des épîtres à l'Assemblée nationale, militait contre les tenants de l'Ancien Régime, se multipliait joyeusement en se laissant emporter par le flot des événements, se grisait de caresser l'Histoire, le temps d'un discours ou d'une réunion entre "patriotes". *Joseph* se présenta aux élections et devint président du Directoire d'Ajaccio en octobre.

Le 5 novembre, les officiers municipaux de Bastia créèrent enfin une Garde nationale malgré l'opposition de *Sarrin* ; la troupe tira sur la foule, qui pilla la citadelle et s'empara de 1 200 fusils. Le futur empereur, lui, se fit si bien remarquer aux côtés des émeutiers que le *Vicomte de Sarrin* en personne lui enjoignit de regagner Ajaccio. Le 26 décembre, le commandant de la place d'Ajaccio écrivait au ministre de la Guerre que le lieutenant en second Buonaparte serait mieux à son Corps, "*car il fomente sans cesse*".

En réalité, si Napoléon Buonaparte avait tout d'un "activiste" dans ces quelques premiers mois de la Révolution, il se montrait encore un peu maladroit et sans réelle influence sur le cours des choses. Mais il apprenait à connaître les hommes et les rouages du jeu politique, expérience essentielle pour le futur chef d'Etat. Le soin qu'il mit plus tard à s'assurer du concours d'une police efficace prouve assez combien il se souvenait de son rôle de ces temps-là, et savait le prix d'un système policier capable de prévoir et de juguler ces sortes d'"ébullitions" populaires…

En janvier 1790 fut promulgué le décret d'incorporation de la Corse à la France : l'île de Beauté cessait, en droit tout au moins, d'être considérée comme un pays conquis pour devenir une terre française. La nouvelle fut accueillie avec un enthousiasme réel, et Napoléon, qui moins d'un an auparavant massacrait du Français sans aucun scrupule, déclarait avec tout autant de conviction à l'*abbé Reynal* :

"*Désormais, nous avons les mêmes intérêts, les mêmes sollicitudes, il n'est plus de mer qui nous sépare…*"

Etait-ce le même homme qui s'exprimait ainsi ? Non, certainement ; c'était un homme qui, revenu en Corse pétri d'idéaux, les avait sacrifiés sans barguigner au réalisme politique. La Corse ne pouvait être indépendante ? Soit, on avait donc choisi la carte française, solution qui permettait de ne pas abandonner le statut d'officier de l'armée royale. Placé devant un cruel dilemme par la Révolution, Napoléon avait opté pour la quête du pouvoir (ou d'un rôle à jouer) en "oubliant" opportunément ses haines d'antan. Opportunément seulement : il lui arrivera encore souvent de fustiger "*ces âmes basses qui furent les premiers à se jeter dans les bras des Français*"…

Un autre événement l'amena sans doute à aller dans ce sens, sa rencontre avec *Paoli* à Ponte Nuovo en juillet 1790. Le grand chef corse était revenu de son exil, mais ne correspondait plus vraiment à l'image idéalisée que Napoléon s'était composée étant enfant. Devenu épais de corps comme d'esprit, le héros de l'indépendance ne se déclarait guère favorable à la Révolution et ne portait aucune affection particulière au clan *Buonaparte*. Celui qu'il qualifiait avec mépris de "*petit lieutenant intrigant*" resterait encore quelque temps l'un de ses plus fidèles partisans, mais une légère faille s'était créée entre eux qui amènerait le jeune homme à un autre dilemme : continuer à servir *Paoli*… ou servir Napoléon Buonaparte…

1792 : Buonaparte en uniforme de lieutenant-colonel du Ier bataillon de la Corse

Grâce à un héritage attendu de son oncle, Napoléon s'investit financièrement en politique. Il obtint le grade de lieutenant-colonel de la Garde nationale corse, succès considérable qui lui évitait de devoir réintégrer son corps. Mais sa conduite mal définie lors des émeutes d'Ajaccio le contraignit à quitter la Corse pour un temps. Ce qui lui donna l'occasion d'assister à la prise des Tuileries.

Henri-Félix-Emmanuel Philippoteaux (1815-1884), daté 1834.
Musée du château de Versailles.

La fin d'un rêve : 1791-1793

Contraint de réintégrer son régiment à Auxonne, en février 1791, Napoléon y passa quelques mois fiévreux. L'inaction et l'éloignement du théâtre où se jouait la pièce pour laquelle il se sentait fait le tourmentaient durement. Il trompait son impatience en retravaillant son *Histoire de Corse*. Pressenti pour rédiger la préface de l'Œuvre, *Paoli* répondit avec mépris que *"l'Histoire ne s'écrit pas dans les années de jeunesse"*. Cette phrase à double sens ajouta encore au malaise entre le jeune officier (désormais lieutenant en premier) et son ancien modèle.

Après avoir rendu visite au ***général du Teil***, son protecteur, qui l'avait distingué lors de son précédent "séjour" en France, le lieutenant Buonaparte parvint à obtenir un congé exceptionnel de quelques mois pour les élections de l'Assemblée législative, qui devaient avoir lieu à Corte à la fin de septembre 1791.

Survenant à point nommé, l'héritage de leur oncle, l'***archidiacre Lucien***, permit aux frères Buonaparte de s'investir financièrement en politique. Les fonds qui leur avaient manqué l'année précédente furent bien utilisés : si ***Joseph*** ne parvint pas à être élu député, Napoléon y gagna (en encourageant un petit peu l'un des commissaires) le grade de lieutenant-colonel de la Garde nationale corse. C'était un succès considérable qui lui évitait de devoir réintégrer son Corps, mais il ne sut pas en faire le meilleur usage, s'épuisant en escarmouches et en bagarres sans envergure. L'aigle était encore au nid.

Les émeutes d'Ajaccio, où sa conduite ambiguë le rendit suspect, le contraignirent à quitter la Corse pour quelque temps. A la suite d'un accrochage entre des mariniers et ses hommes, il avait voulut s'emparer illégalement de la citadelle d'Ajaccio ; le commandant de la place s'y était refusé avec succès. Fin mai 1792, il gagna Paris où il sera le témoin de journées historiques : le 20 juin, le peuple humilia le roi, le 10 août, la foule en colère massacra les Suisses lors de la prise d'assaut des Tuileries. La Monarchie était abolie.

Le lieutenant en premier Buonaparte ne se contentait encore que de commenter les événements, qualifiant *Louis XVI* de noms d'oiseaux à consonance corse et fustigeant la faiblesse qui l'empêchait de canonner les émeutiers. *"Si j'étais roi, cela ne se passerait pas de même"*, affirmait-il le 20 juin aux Tuileries.

Sa principale préoccupation était toutefois de parvenir à se faire réincorporer dans l'armée où il avait été porté déserteur. La guerre qui venait d'éclater entre la France révolutionnaire et le Saint Empire romain germanique facilita les choses : en effet, la "Patrie en danger" ne pouvait se priver de jeunes officiers dont la formation avait coûté si cher à l'Ancien Régime. Mieux encore, on le nomma capitaine ! Mais lui-même était conscient que son "génie" n'y était pour rien.

Ecrivant aux siens, il disait :

"Je suis capitaine, vous le savez aussi bien que moi, parce que tous les officiers supérieurs du régiment de La Fère sont à Coblentz..."

C'est-à-dire dans les rangs des émigrés…

La chute de la Monarchie rendait nécessaire la formation d'une Convention, Napoléon décida de retourner en Corse pour y brûler ses dernières cartouches : il fallait que *Joseph* fût élu et que lui-même rentrât en grâce auprès de ses compatriotes… de gré ou de force.

Afin de retrouver ce prestige qui avait tant souffert de l'affaire d'Ajaccio, Napoléon se porta volontaire pour participer à une attaque projetée contre la Sardaigne. Effectuées en janvier et février 1793, ces opérations n'aboutirent pas. La situation devenait intenable pour les ***Buonapartes***, qui n'avaient pas atteint la notoriété suffisante pour pouvoir dominer en Corse. Le parti le plus fort était celui du vieux *Paoli* qui, devenu plutôt conservateur avec les ans, se détournait de la Révolution. Il songeait même à donner l'île de Beauté à l'Angleterre, faute de pouvoir assurer son indépendance.

Le fossé était cette fois trop profond pour être comblé ; Napoléon avait joué depuis trois ans un difficile jeu d'équilibre entre la raison française et la passion corse. Il ne voulait pas entendre parler de l'Angleterre, qui accorderait la victoire à *Paoli* tout en éliminant durablement les adversaires de celui-ci. Une première tentative d'assassinat dirigée contre le jeune patriote ne lui ouvrit pas les yeux. Pourchassé par les partisans de *Paoli* dans les rues d'Ajaccio, il parvint à se réfugier à Bastia, où il réunit des hommes afin de "reprendre" sa ville natale.

La guerre civile qui aurait pu découler de l'affrontement (et ainsi précipiter l'intervention anglaise) n'eut cependant pas lieu. Le débarquement

---

**10 août 1792 :
Buonaparte assiste
à la prise des Tuileries**

Devant le massacre des Suisses, Buonaparte mesura la faiblesse de caractère du roi. L'attitude hésitante de Louis XVI lors de ces heures décisives lui montra la voie nécessaire face à l'émeute : utiliser le canon. Ces moments d'égarement du pouvoir heurtèrent durablement son éducation de militaire.

Nicolas-Toussaint Charlet (1792-1845). Imp. Bertauts, r. Cadet, 11, Paris. Alliance des Arts, Marchant Editr.

d'Ajaccio fut accueilli à coups de canons par une population définitivement hostile. La défaite était consommée, et à tel point que tout le clan **Buonaparte, Madame Laetitia** en tête, dut rembarquer et fuir sur le continent.

"*Ce pays n'est pas pour nous*", déclara Napoléon à sa mère.

C'était implicitement avouer l'échec absolu de ses premières manœuvres politiques, les seules qui aient été inspirées par ses rêves de jeunesse. Débarquant à Toulon le 13 juin 1793 avec sa famille, le capitaine Buonaparte était un homme de 24 ans que les événements avaient précocement mûri. Il avait au moins compris qu'on n'a pas besoin d'idéaux pour réussir en politique.

Désormais, et pour plusieurs années, Napoléon serait l'homme de la Révolution... ou plutôt, l'homme de ses maîtres, **Robespierre** puis **Barras**. Il était prêt à prendre son essor, à la première occasion qui lui serait donnée.

Le jeune général : 1793-1796

Au service de Robespierre : 1793-1794

Napoléon avait fait ses premières armes lors de l'expédition malheureuse contre la Sardaigne. Là, il avait pressenti quel était son véritable talent, ce talent qu'il avait si longtemps cherché depuis sa sortie de l'Ecole militaire. Ce n'était pas la plume ou la parole, armes ordinaires de ceux qui se destinent à la vie politique : c'était le sabre.

Les circonstances s'y prêtaient. Après de longues années de neutralité, voire de bienveillance à l'encontre de la Révolution, la Grande-Bretagne avait décidé de ne pas tolérer l'intrusion française en Hollande et d'entrer en guerre contre le fauteur de troubles. Sauvée à Valmy par **Dumouriez**, qui dans la foulée de Jemmappes avait conquis la Belgique, la France révolutionnaire manifestait l'intention de "régénérer" tous ses voisins et de les "libérer" des "tyrans" qui les oppressaient. La guerre était ardemment souhaitée par le peuple, et aussi par le gouvernement qui préférait envoyer ses sans-culottes sévir à l'étranger. **Maret**, appartenant à l'ambassade française à Londres, n'avait-il pas confié à **Pitt** quelque temps

auparavant : "*La paix est impossible. Nous avons 300 000 hommes sous les armes, que nous devons faire marcher aussi loin que leurs jambes pourront les porter... Sinon, ils reviendraient sur leurs pas et nous égorgeraient*".

Les péripéties de la campagne de Belgique n'avaient pas ému outre mesure le capitaine Buonaparte occupé à se faire chasser de Corse. Cela ne l'empêcha pas, une fois "converti" à la cause française par la force des choses, de déclarer à ceux dont il recherchait la protection :

"*J'ai sacrifié le séjour de mon département. J'ai abandonné mes biens. J'ai tout perdu pour la République...*"

Il rédigea aussi un *factum, Le Souper de Beaucaire*, afin de dissiper les derniers doutes des sceptiques :

"*Peut-on être assez fort en Révolution ? **Marat** et **Robespierre**, voilà mes saints !*"

Ceux-là le décevraient moins que **Paoli**, mais il s'apercevrait plus tard que ce panthéon-là n'était pas éternel.

Emus par tant de dévouement patriote, les protecteurs ne se firent cependant pas trop tirer l'oreille : après une mission en Avignon, il eut la bonne fortune de rencontrer **Salicetti** qui lui proposa le poste de commandant de l'artillerie de l'armée du **général Carteaux**, ancien peintre en bâtiment qui avait aussi été un peu gendarme, incapable parfait mais rutilant "*des pieds jusqu'à la tête*".

La chance de Buonaparte fut, à ce moment-là, d'être un officier instruit dans une armée dont la majorité des cadres s'était exilée. Sans qu'il fût encore indispensable, on était heureux de le trouver au pied levé pour remplacer le chef de bataillon **Dommartin**, blessé à Ollioules.

L'armée marchait sur Toulon, qui s'était déclarée contre la République en ouvrant ses portes aux Anglais. Profitant de l'aubaine, ceux-ci y avaient amené des troupes ; leurs navires occupaient la rade et défendaient, par leurs canons, les accès de la ville. **Carteaux** et son état-major songaient à les bombarder à boulets rouges. Ce grand dessein fut cependant différé sur les conseils du jeune capitaine artilleur, qui préconisa "*d'essayer à froid pour bien s'assurer de la portée avant de s'embarrasser de boulets rouges*".

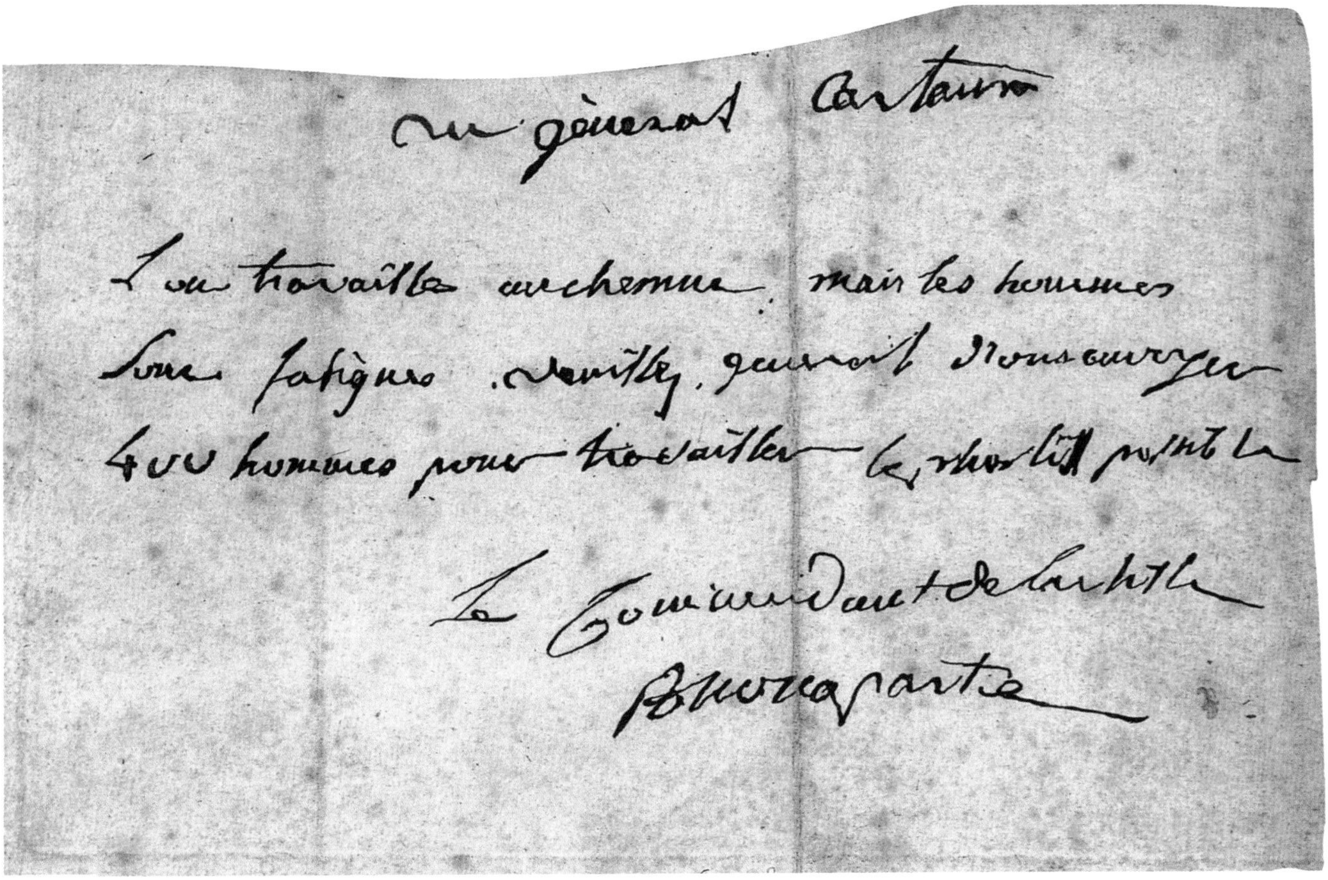

Au général Carteaux

L'on travaille archerme, mais les hommes
sont fatigués. Veuillez, général, m'envoyer
400 hommes pour travailler le plus tôt possible

Le Commandant de la ville
Buonaparte

33

Le vicomte Paul de Barras, qui allait faire la fortune de Bonaparte

A Sainte-Hélène, Napoléon évoque ainsi la figure de Barras : "Il n'avait aucun talent pour la tribune, et nulle habitude de travail [...] Au moment de la crise [du 9 thermidor], la Convention le nomma pour marcher contre la Commune qui s'était insurgée en faveur de Robespierre ; il réussit. Cet événement lui donna une grande célébrité [...] Le 12 vendémiaire, [...] les circonstances étaient trop graves pour lui ; elles étaient au-dessus de ses forces. Barras n'avait pas fait la guerre." Selon Napoléon, sans Bonaparte, la Convention donc eût été perdue. De l'art de l'ingratitude en politique.

L'essai fut probant, révélant à *Carteaux* étonné qu'on atteignait tout juste le tiers de la distance…

Napoléon Buonaparte flaira alors qu'il y avait quelque chose à accomplir devant Toulon. C'était la scène qui lui avait manqué en Corse, avec un public idéal, dont le moindre ornement n'était pas le *vicomte Paul de Barras*.

Celui-ci avait été chargé par la Convention de superviser les opérations. Il remarqua vite le jeune Corse qui, dès lors, ne le quitta plus, le courtisant avec autant de fougue qu'il en mettait à séduire la femme du *général Carteaux*.

Sentant l'œil du Destin (et de *Barras*) posé sur lui, Napoléon se multiplia comme aux premiers mois de la Révolution en Corse ; il fut partout, intrépide, blessé plusieurs fois, infatigable, avisé, sachant se faire apprécier et mettant toute l'étendue de ses connaissances au service de sa cause. Le résultat escompté ne tarda pas : *Barras* se prit d'une grande estime pour l'inventeur de la "Batterie des Hommes sans peur", et reconnut en lui un officier de talent. Ayant de l'ambition et du bon sens, le futur Directeur décida de favoriser son nouveau protégé qui, savait-on jamais, pourrait lui servir un jour.

Carteaux fut limogé, et finalement remplacé par le *général Dugommier*, qui comprit assez bien la situation : "*Votre petit protégé…*" disait-il à *Barras* en parlant de Buonaparte. Celui-ci prenait de l'importance, soumettait un plan d'attaque qui fut accepté, et montait rapidement en grade. Arrivé devant Toulon en septembre 1793, il était chef de bataillon (18 octobre), puis adjudant-général (1er décembre) et enfin général de brigade (22 décembre) à 24 ans, quelques jours après que les Anglais aient évacué la ville.

Promu commandant de l'artillerie de l'armée d'Italie en février 1794, le nouveau général put jouir de quelques mois de repos. Inspectant les côtes, il se lia avec *Augustin de Robespierre*, beaucoup moins "incorruptible" que son frère *Maximilien*.

Cette relation le servit au-delà de toute espérance, au moins dans un premier temps. Le bon *Augustin* n'écrivait-il pas à Paris que *"le citoyen Buonaparte, commandant l'artillerie, est d'un mérite transcendant"* ?

Ce fut à cette époque, où tout le favorisait, que Napoléon s'enthousiasma pour la conquête de l'Italie. La bienveillance de ses hauts protecteurs le portait à l'optimisme et il commença à méditer un plan de campagne pour s'emparer de la Péninsule. Ce fut ce même plan, retravaillé et adapté, qu'il exécuterait deux ans plus tard avec les résultats que l'on sait.

En attendant ces grandes heures, on s'occupait des "opérations préparatoires" dont les plans étaient envoyés pour approbation au Comité de Salut public, toujours par l'intermédiaire d'*Augustin de Robespierre*. Ces projets étaient entièrement dictés par le général Buonaparte à son aide de camp, le *lieutenant Junot*, rencontré à Toulon.

Un événement brisa toutefois le cours de cette réussite exceptionnelle : la chute de *Robespierre*. Ses partisans furent impitoyablement traqués et promptement éliminés des postes-clefs. Le 7 août, deux jours avant son arrestation, le futur empereur eut encore le temps de rédiger une proclamation de foi républicaine :

"J'ai été un peu affecté de la catastrophe de Robespierre que j'aimais et que je croyais pur, mais fût-il mon frère, je l'eusse moi-même poignardé s'il aspirait à la tyrannie…"

Après s'être cru "perdu", Napoléon fut finalement libéré sans être officiellement réintégré dans son commandement. On avait besoin de ses lumières pour parer à la contre-offensive piémontaise, à tel point que *Dumerbion*, goutteux et général en chef de l'armée d'Italie, lui demanda humblement : *"Mon enfant, présentez-moi un plan comme vous savez les faire et je l'exécuterai de mon mieux"*. Mis à part ses talents reconnus de stratège et son grade de général d'artillerie, qui le desservait considérablement car il le devait aux bons offices des *Robespierre*, sa situation était la même qu'à son débarquement de Corse.

Tout, encore une fois, était à recommencer.

Au service de Barras : 1794-1796

La fin de l'année 1794 fut morose et 1795 mal inaugurée : on radia Napoléon des listes de l'artillerie, où il y avait trop de généraux, pour le transférer dans l'infanterie. Pire encore : on songeait à lui pour la Vendée, quand tous ses efforts étaient consacrés à la mise en place d'une expédition destinée à "libérer" la Corse des Anglais accueillis par *Paoli*. Mais la flotte britannique veillait et parvint à anéantir les navires français, réduisant à néant ses derniers espoirs.

A la même époque, le *général Scherer* suppliait Paris de le débarrasser des officiers corses qui l'encombraient *"et dont le patriotisme était plus équivoque que ne l'étaient leurs dispositions à s'enrichir"*. Or, la Vendée n'attirait vraiment pas le général Buonaparte, qui estimait n'avoir rien à gagner en combattant sur ce front secondaire et ingrat. Il préférait largement rester à la disposition de l'armée d'Italie, gardant un œil sur les Alpes et l'autre sur la Corse.

Le 8 mai 1795, accompagné du fidèle *Junot*, de son frère *Louis* et de *Marmont*, Napoléon prenait la route de Paris afin d'aller convaincre les bureaux qu'il n'était décidément pas fait pour affronter le climat vendéen. Il laissait derrière lui, en larmes, une certaine *Désirée Clary* à laquelle il s'était fiancé peu de temps auparavant et qui, un jour, régnerait sur la Suède aux côtés de *Bernadotte*.

Sur le chemin de la capitale, il fit la connaissance de *Madame de Chastenay*, à laquelle il confia en passant :

"Pour l'homme, le bonheur doit consister dans le plus grand développement possible de ses facultés."

Il déploierait beaucoup d'énergie, dans les mois qui suivaient, pour pouvoir être heureux. Quant à son interlocutrice, fine psychologue, elle écrivit de lui : *"Je crois que Buonaparte eût émigré, si l'émigration eut offert des chances de succès"*. Qu'importait la cause servie par Napoléon Buonaparte ! Tôt ou tard, elle deviendrait la sienne propre.

A Paris régnait le *vicomte de Barras*, rendu prudent par l'odeur sulfureuse de son ancien protégé. Leurs ennemis étant nombreux, il lui évita temporairement la Vendée sans pouvoir le renvoyer à l'armée d'Italie. Son ambition brisée, sans le sou, déprimé, souffrant du rafraîchissement de ses relations avec *Désirée Clary*, songeant au suicide, Napoléon errait dans les rues de Paris comme une âme en peine. A son frère *Joseph*, il affirmait tristement être *"très peu attaché à la vie"*, et que *"si cela continue, mon ami, je finirai par ne pas me détourner lorsque passe une voiture"*.

Revenant à ses anciens démons, il écrivait aussi un roman, *Clisson et Eugénie*, où il mettait en scène l'histoire de ses amours avec **Désirée**, contant ses déboires et son désespoir de voir la Destinée lui être cruelle. L'œuvre s'achève par quelques phrases d'un style tragique, révélateur de son état d'esprit d'alors :

Clisson à Eugénie (ou Napoléon à **Désirée**, ou Napoléon à la Fortune…) :

"Puisses-tu vivre heureuse, ne pensant plus au malheureux Clisson ! Embrasse mes fils ! Qu'ils n'aient pas l'âme ardente de leur père ; ils seraient comme lui victimes des hommes, de la gloire et de l'amour…"

La "victime", quand elle ne rongeait pas son frein, méditait son plan d'invasion de l'Italie avec d'autant plus de soin qu'elle en avait le temps.

Le fond fut atteint le 16 août, à la réception d'une mise en demeure lui ordonnant de partir pour la Vendée. Résolu à en finir, il se rendit devant le Comité de Salut public et joua sa dernière carte en évoquant son plan de campagne en Italie. **Doulcet de Pontécoulant**, nouveau ministre de la Guerre, l'écouta et l'encouragea à développer sa thèse. On lui demanda de rédiger lui-même la lettre destinée à **Kellermann**, alors commandant en chef de l'armée d'Italie. L'Empereur se souviendrait de ce moment dans un sourire :

*"Je fis la lettre, et gourmandai **Kellermann** pour les fautes qu'il avait commises et le parti qu'il proposait, indiquai la position qu'il devait prendre. Et comme la lettre devait être signée par le président du Comité, je l'écrivis du ton que je pourrais l'écrire aujourd'hui, ce qui plut beaucoup au Comité."*

Le résultat fut positif, car on épargna la Vendée au jeune stratège ; mais il dut rester à Paris, immédiatement attaché au bureau topographique du Comité de Salut public. N'ayant pas l'âme bureaucrate, il ne tarda pas à s'y ennuyer prodigieusement et pensa un moment partir pour Constantinople, tandis que **Barras**, paternel, l'exhortait à la patience…

Paris connaissait les fêtes et la famine en cet été 1795. Cette situation paradoxale encourageait les comploteurs de tout poil à conspirer contre le gouvernement, qui louvoyait habilement en mordant un coup à droite, un coup à gauche, et en grondant le plus souvent possible. Affamé, le peuple s'indignait de voir ce

**L'attaque
de l'église Saint-Roch
par Buonaparte,
le 13 vendémiaire
an IV (5 octobre 1795)**

Ici se joue l'épisode déterminant de cette journée : sur le perron de l'église Saint-Roch se sont massés des gardes nationaux parisiens, entraînés dans une rébellion d'inspiration monarchiste constitutionnelle. Leur projet était de se diriger vers le palais des Tuileries en empruntant le cul-de-sac Dauphin, situé à peu près en face. Ils sont arrêtés par les "Patriotes de 1789" qui servent l'artillerie mise en place par Buonaparte. La redoutable efficacité des tirs vaudra à ce dernier le surnom de "général Vendémiaire".

que l'on avait fait de sa Révolution, et les milieux monarchistes avaient beau jeu d'attiser son mécontentement. Les "Thermidoriens", avec **Barras** à leur tête, profitaient joyeusement du pouvoir en surveillant les rues du coin de l'œil.

Un événement fortuit vint bientôt mettre le feu aux poudres. Les décrets d'août 1795, dissolvant la Convention et instituant le Directoire, prévoyaient aussi la création de deux conseils, les Anciens et les

Cinq-Cents. Or les Conventionnels, soucieux de ne pas perdre leurs avantages tout en écartant les "Monarchiens" et les "Feuillants", avaient stipulé que deux tiers des nouveaux élus devraient être issus de leur assemblée. Dès le matin du 4 octobre, les deux sections les plus engagées dans l'opposition à la Convention, c'est-à-dire les sections Le Peletier et Théâtre-Français (Odéon), lancèrent une proclamation annonçant que *"les buveurs de sang venaient d'être armés aux Tuileries"*.

Les sections royalistes, qui n'attendaient que l'occasion favorable, se soulevèrent en masse. Nommé général en chef de l'armée de l'Intérieur, chargé de réprimer l'insurrection, *Barras* s'adjoignit son protégé comme commandant en second. Pour Napoléon Buonaparte, l'heure était venue de devenir le "général Vendémiaire".

"Je tiens au titre de général Vendémiaire, dira-t-il un jour. *Ce sera, dans l'avenir, mon premier titre de gloire..."*

Mais, dans l'instant présent, il s'agissait seulement de canonner les insurgés : qui mieux qu'un artilleur était susceptible de le faire ? Les canons n'avaient été utilisés jusqu'alors que comme une force d'accompagnement : mais Napoléon, lui, avait reçu la formation qui lui permettait de s'en servir au mieux. Apprenant que 40 pièces de canon étaient entreposées à la plaine des Sablons, Napoléon Buonaparte, l'esprit en éveil et le verbe impératif, donna ses ordres à un jeune officier de cavalerie du nom de **Joachim Murat** :

"Prenez deux cents chevaux, allez sur-le-champ à la plaine des Sablons, amenez les quarante pièces de canon et le parc. Qu'elles y soient. Sabrez, s'il le faut, mais amenez-les. Vous m'en répondez. Partez !"

La rapidité avec laquelle **Murat** exécuta ces ordres s'avéra déterminante pour l'issue de la journée. **Barras** et Buonaparte organisèrent la défense des Tuileries, bénéficiant des enseignements de l'expérience malheureuse de **Louis XVI** en 1792. Vers les quatre heures et demie de l'après-midi se joua le sort du soulèvement royaliste. C'est devant l'église Saint-Roch qu'eut lieu le premier coup de feu. On ne sait si ce sont les sections royalistes ou les "patriotes de 89", qui défendaient les Tuileries, qui commencèrent. Le tir donna en tout cas le signal de la bataille de rue.

Les canons de Buonaparte prirent en enfilade le cul-de-sac Dauphin, qui donnait sur l'église Saint-Roch. Les insurgés s'étaient concentrés dans ce quartier en vue d'une attaque sur les Tuileries. Bonaparte fit avancer une pièce de huit, "*dont le tir*, avouera-t-il dans le *Mémorial, servit de signal pour tous les postes.*" Les premiers tirs furent effectués à mitraille ou à boulets, afin de montrer la détermination du pouvoir en place. L'échauffourée ne dura que peu de temps, si bien que les forces de **Barras** purent bientôt entreprendre de "nettoyer" les rues avoisinantes. A quatre heures du matin, l'église Saint-Roch, abandonnée par ses défenseurs, était reprise sans combat.

Quel fut le bilan en pertes humaines de ces événements ? On peut estimer que Napoléon à Sainte-Hélène serre d'assez près la réalité lorsqu'il avance le chiffre de deux cents tués ou blessés du côté des sectionnaires et presque autant du côté des défenseurs de la Convention. La plupart de ces derniers avaient été frappés devant Saint-Roch au tout début du combat.

L'épreuve de force s'était achevée en faveur de **Barras**, en grande partie grâce aux talents de son jeune protégé. Le 5 octobre, le parti royaliste était si bien réduit au silence qu'il se le tiendrait longtemps pour dit. **Barras**, sur le point de devenir lui-même Directeur, l'un des cinq "rois" de la France du Directoire, remercia Napoléon en le faisant nommer à son précédent poste : général en chef de l'armée de l'Intérieur… C'est à partir de ce moment que, francisant son nom, Buonaparte devint Bonaparte.

La réussite du jeune général était spectaculaire, mais il ne se sentait pas encore heureux. Quelque chose restait inaccompli en lui, qui l'amenait à regarder le commandement de l'armée de l'Intérieur comme un poste provisoire. Il n'y avait qu'une seule armée au monde qui pût vraiment combler les aspirations de Napoléon à cette époque : celle d'Italie.

Une future impératrice entra alors en scène : **Joséphine de Beauharnais**, née **Marie-Josèphe Rose Tascher de La Pagerie**, belle créole au tempérament volcanique, experte en galanterie, ancienne maîtresse de **Barras** et appartenant au faubourg Saint-Germain. Intéressé par la fortune présumée de la dame (deux millions avoués, pour beaucoup plus de dettes moins avouables), Napoléon restait un peu dubitatif. Son vif désir de se marier était connu de tous, mais était-ce là le parti idéal ? **Barras** et **Madame Tallien** en étaient convaincus. Le 28 octobre 1795, pour l'amener à composition, **Joséphine** elle-même prit la plume et lui écrivit, aussi engageante qu'elle le pouvait pour ce général encore inconnu, au teint bilieux et au verbe rare :

"Vous ne venez plus voir une amie qui vous aime… Vous avez bien tort, car elle vous est tendrement attachée… Venez demain septidi déjeuner avec moi. J'ai besoin de vous voir et de causer avec vous sur vos intérêts."

La "causerie" fut apparemment captivante : Napoléon y revint tous les soirs pendant cinq mois, jusqu'à leur mariage. Et l'excellent **Barras**, un peu prévaricateur et débauché sans doute, mais d'un bon naturel tout de même, déposa l'armée d'Italie dans leur corbeille de noces. Avec pour mission essentielle, si le général en chef de 26 ans était vainqueur au-delà des Alpes, de mettre le pays au pillage afin de renflouer des caisses (et des poches) désespérément vides…

L'épopée commençait.

Joséphine de Beauharnais

Marie-Josèphe Rose Tascher de La Pagerie naquit en 1763 à la Martinique. Elle épousa le vicomte Alexandre de Beauharnais, deux fois président de la Constituante, commandant en chef de l'Armée du Rhin en 1793, poursuivi pour la capitulation de Mayence et guillotiné en 1794. Joséphine fut arrêtée en avril 1794 et ne fut sauvée que par le 9 thermidor. Très proche de Barras, elle contribua à la nomination de Bonaparte à l'armée d'Italie. Elle épousa ce dernier le 16 mars 1796.

L'apprentissage du Pouvoir : 1796-1804

Les débuts d'une épopée : 1796-1799

La Campagne d'Italie : 1796-1797

La Campagne d'Italie marque les prémices de l'épopée napoléonienne, à tel point que l'Empereur, en 1813, déclarera *"chausser ses bottes d'Italie"* pour renouer avec sa réputation de grand stratège. C'est en Italie du Nord que se dessina le destin hors du commun du petit Corse avide de réussite.

Son arrivée à Nice, le 27 mars 1796, avait pourtant été fraîchement saluée par une armée qui le considérait, non sans quelques raisons, comme un général d'alcôve. Ses généraux de division, l'irremplaçable **Berthier, Masséna** (qui le traitait d'intrigant et d'idiot), **Sérurier, Augereau** (qui le qualifiait d'imbécile), **Laharpe**, eurent du mal à ne pas montrer leur condescendance vis-à-vis de ce gringalet au teint jaune qui prétendait les mener au feu.

Leurs dispositions changèrent rapidement et, s'ils ne l'aimèrent pas plus, ils apprirent à le respecter. Car Napoléon savait parler à ses hommes. *"L'attitude de Bonaparte, dès son arrivée, fut celle d'un homme né pour le pouvoir"* écrira **Marmont**. Gauche dans les salons, provincial avec cette "grande dame" de **Joséphine** qu'il s'était choisie pour femme, le jeune général se sentait dans son élément à la tête de cette armée dont il avait rêvé depuis si longtemps.

L'armée d'Italie faisait pourtant peine à voir. Souffrant de l'incurie du gouvernement et de l'incompétence de l'administration, elle était mal équipée, vêtue de haillons et n'avait pas reçu de solde depuis des mois. **Salicetti** avait toutefois été envoyé pour la préparer à la campagne à venir, et sa situation matérielle s'améliorait de jour en jour. Quant au moral, il dut remonter nettement en voyant le timide **Scherer** remplacé par un jeune général plein de tempérament, arriviste certes, mais déterminé à passer à l'offensive.

Cette offensive-là est restée dans l'Histoire, fulgurante et fatale au roi de Sardaigne qui, après moins d'un mois de combats, dut se résoudre à demander l'armistice. les plénipotentiaires piémontais dépêchés pour chipoter les termes du traité découvrirent, à leur frais, que le général Bonaparte n'avait rien d'un diplomate :

"Il pourra m'arriver de perdre des batailles, mais on ne me verra jamais perdre des minutes par confiance ou paresse !"

Le verrou piémontais ayant sauté, l'armée pouvait entrer dans la plaine du Pô tenue par les Autrichiens. Le 10 mai, au pont de Lodi, Napoléon les refoula hors de Lombardie à la surprise générale, avant d'entrer dans Milan en libérateur. Les **ducs de Parme** et **de Modène** se hâtèrent de demander la paix, qui leur fut accordée contre de lourdes indemnités de guerre… dont une partie seulement parvint jusqu'à Paris.

Une campagne bien menée, donc, contre des adversaires désunis et dont quelques-uns avaient même été achetés par l'intermédiaire de **Haller**, financier douteux mais aux services précieux. L'Italie, front secondaire par rapport à l'Allemagne où marchaient dans le même temps deux armées de 80 000 hommes, créait l'imprévu. Le pays, déjà, était soigneusement mis en coupe réglée par ses "libérateurs" qui récupéraient nombre d'œuvres d'art et des richesses considérables.

De cette bataille dont la légende s'empara immédiatement, date la confiance de Bonaparte en lui-même : *"Ce n'est que le soir de Lodi*, affirme-t-il à Sainte-Hélène, *que je me suis cru un homme supérieur et que m'est venue l'ambition d'exécuter les grandes choses qui jusque-là occupaient ma pensée comme un rêve fantastique"*. Cette assurance est perceptible dans le rapport adressé au Directoire.

Quartier général, Lodi, 22 floréal an IV
[11 mai 1796]

"Dès l'instant que l'armée fut arrivée, elle se forma en colonne serrée, le 2e bataillon de carabiniers en tête, et suivi par tous les bataillons de carabiniers au pas de charge et aux cris de Vive la République !

Bonaparte au pont d'Arcole, le 17 novembre 1796

Une contre-offensive autrichienne, après le succès de Bonaparte à Lodi en mai de l'année précédente, obligea celui-ci à reprendre le combat : ce fut la "seconde" Campagne d'Italie, qui dura d'août 1796 à septembre 1797. Après de sérieuses difficultés, il réussit à rétablir la situation, donnant la pleine mesure de son talent militaire à la bataille d'Arcole.

Antoine-Jean Gros (1771-1835), 1796. Musée du château de Versailles.

On se présenta sur le pont [...] l'ennemi fit un feu terrible [...] Cette redoutable colonne renversa tout ce qui s'opposa à elle [...] Quoique depuis le commencement de la campagne, nous ayons eu des affaires très chaudes et qu'il ait fallu que l'armée de la République payât d'audace, aucune cependant n'approche du terrible passage du pont de Lodi."

Ce succès si total et inattendu monta à la tête du jeune général qui oublia tous les facteurs qui avaient contribué à sa victoire : des officiers supérieurs confirmés, des adversaires achetés ou médiocres et des populations amicales. Il négligeait de s'attacher aux pertes terribles subies par l'armée française. Ayant réalisé son rêve italien après avoir perdu son rêve corse, Napoléon éprouvait le besoin pressant de se projeter vers de nouvelles conquêtes :

"Après Lodi, je me regardai non pas comme un simple général, mais comme un homme appelé à influer sur le sort d'un peuple. Il me vint l'idée que je pus bien devenir un acteur décisif sur notre scène politique."

C'était une idée partagée par les Directeurs, qui s'étonnèrent du ton des rapports qu'ils recevaient et se mirent à trembler.

Les Milanais apprirent à connaître leurs "libérateurs" ; ils se révoltèrent assez rapidement mais furent durement matés.

"En dernière analyse, conclut alors Napoléon, *il faut être militaire pour gouverner ; on ne gouverne un cheval qu'avec des bottes et des éperons."*

Le ton était donné ; et le général Bonaparte gouvernait l'Italie du Nord depuis Milan, ayant formé une petite cour autour de lui et traitant avec les puissances voisines (Naples et le Saint-Siège, entre autres) sans trop s'occuper de ce que pouvait bien désirer le Directoire.

Bonaparte
à la bataille de Rivoli,
le 14 janvier 1797

Cette bataille et la chute de Mantoue procurèrent à Bonaparte une gloire inégalée. Dès lors, le Directoire, débordé, subit la politique de Bonaparte, qui se conduisit en vice-roi dans ses conquêtes.

Henri-Félix-Emmanuel Philippoteaux (1815-1884), salon de 1845.
Musée du château de Versailles.

Une contre-offensive autrichienne donna lieu à la "seconde" Campagne d'Italie, qui dura d'août 1796 à janvier 1797. Après des moments difficiles, Napoléon parvint à rétablir la situation, donnant vraiment la mesure de sa valeur en tant que chef militaire à la bataille d'Arcole (17 novembre 1796). Dès lors, il ne fut plus possible de le tenir.

A Vienne, ***Thugut***, ministre des Affaires étrangères, commentait avec désespoir : *"Quand Bonaparte, jeune homme de 27 ans, sans aucune expérience, avec une armée qui n'est qu'un ramassis de brigands et de*

volontaires, de moitié moins forte que la nôtre, bat tous nos généraux, l'on doit tout naturellement gémir sur notre décadence et notre avilissement".

Après la chute de Mantoue, en janvier 1797, la gloire de Bonaparte, brillamment "épaulé" par **Barras** à Paris, fut à son apogée. Débordé, le Directoire en était réduit à souffler sur le feu pour ne pas le voir se retourner contre lui ; les ordres envoyés à l'armée d'Italie étaient formulés avec une prudence mêlée d'appréhension : *"Ce n'est point au surplus un ordre que vous donne le Directoire exécutif, c'est un vœu qu'il forme".*

À plusieurs occasions où Paris cherchait à imposer ses vues, Napoléon menaça de *"rentrer dans la vie privée"*, c'est-à-dire, pour un général de cette époque, dans la politique. Inquiets, **Barras** et ses pairs préféraient largement le laisser organiser l'Italie à sa guise (pourvu qu'il continuât de leur envoyer de l'or) plutôt que de le voir de retour dans la capitale. C'est ainsi qu'il annexa Venise et Gênes, créant, le 29 juin, une République Cisalpine en Lombardie.

Un dernier sursaut autrichien, conduit par l'*archiduc Charles*, s'acheva par un désastre et permit à l'armée française de s'approcher jusqu'à cent kilomètres de Vienne. L'*empereur François II* consentit à faire la paix. Les pourparlers traînèrent en longueur et aboutirent finalement à la signature du traité de Campo-Formio en octobre 1797. Le Directoire, qui n'avait pas été consulté, entra dans une fureur noire… et se décida à rappeler le glorieux vainqueur.

À l'automne 1797, Napoléon quitta donc l'Italie pour Paris. Il y avait connu la gloire et le pouvoir deux choses dont il ne se passerait plus. Il avait pris conscience de ses talents de meneur d'hommes et ne se concevait plus d'autre destinée que celle de souverain. S'étant fait la main sur l'Italie, il cherchait désormais quelque chose de plus grand… Un pays puissant par exemple, au gouvernement corrompu et mal assuré…

Toujours bavard, il déclara un jour à deux diplomates :

"Il faut à la Nation un chef, un chef illustré par la gloire, et non par des théories par lesquelles les Français n'entendent rien. Qu'on leur donne des hochets, cela leur suffit. Ils s'en amuseront et se laisseront mener, pourvu cependant qu'on leur dissimule adroitement le but vers lequel on les fait marcher !"

Adroitement !

Ce ne serait pas Napoléon Bonaparte qui manœuvrerait dans cette seconde phase de la réalisation de ses ambitions politiques. Il lui faudrait un homme rompu aux usages et aux grimaces du pouvoir, un homme pour qui l'intrigue et la conspiration étaient comme une seconde nature, un allié qui lui apprendrait la subtilité et la patience : *Talleyrand*.

Echarpe du général Bonaparte lors de la Campagne d'Egypte

Bonaparte sentait sa gloire s'empoussiérer lentement dans les salons parisiens. Talleyrand prononça un mot magique : "l'Orient". Soulagée de voir s'éloigner un personnage si encombrant. Paris respira. Bonaparte se laissait porter sur les pas d'Alexandre. Le rêve oriental prenait corps.

Musée de la Malmaison.

Les mirages d'Egypte : 1798-1799

La complicité qui s'établit entre les deux hommes fut politique, immédiate et profonde ; elle durerait dix ans. Revenu depuis peu des *"savanes du Nouveau-Monde"* où il avait failli devenir trappeur. **Charles-Maurice de Talleyrand-Périgord** s'était fait nommer ministre des Relations extérieures du Directoire par **Barras, Madame de Staël**, généreuse et passionnée, avait assiégé le puissant Directeur pendant des jours avant de le faire céder. Son amant la menaçait constamment de courir *"se jeter dans la Seine"* s'il n'était pas ministre sous peu…

Les nouvelles fonctions de l'ancien évêque d'Autun l'amenèrent à entrer en contact avec le général Bonaparte. Le 26 juillet 1797. *Talleyrand* lui écrivait sa première lettre, terminant celle-ci par quelques phrases dignes du "grand diplomate" qu'il deviendrait :

"Je m'empresserai de vous faire parvenir toutes les vues que le Directoire me chargera de vous transmettre et la Renommée, qui est votre organe ordinaire, me ravira souvent le bonheur de lui apprendre la manière dont vous les avez remplies."

Le jeune maître de l'Italie du Nord se découvrit un allié providentiel au cœur même du gouvernement qu'il songeait peut-être déjà à abattre. Une étroite connivence s'était tissée entre eux quand il rentra à Paris et qu'ils se rencontrèrent pour la première fois, le 6 décembre 1797 au matin. *Talleyrand* orchestra ce retour avec brio, prodiguant ses conseils à ce conquérant de 28 ans qui ne dissimulait pas assez son ambition et ne faisait rien pour séduire ceux qui l'approchaient. **Madame de Staël**, vite devenue son ennemie personnelle, porterait sur le vainqueur un jugement sévère : *"Il méprisait la nation dont il voulait les suffrages et mille étincelle d'enthousiasme ne se mêlait à son désir d'étonner l'espèce humaine…"*

Le ministre guida son pupille en s'efforçant de le faire passer pour moins redoutable qu'il n'était, truffant ses discours d'éloges quant à *"l'amour insatiable"* nourri par l'aventurier corse à *"la patrie et à l'humanité"*. Il le fit aussi élire à l'Institut, afin d'accroître son prestige en le faisant passer pour savant.

"*Les vraies conquêtes*, déclara Napoléon à cette occasion, *les seules qui ne donnent aucun regret, sont celles qui sont faites sur l'ignorance…*"

Mais Bonaparte piaffait d'impatience, mal à son aise dans ces salons où sa gloire se perdait peu à peu. Nommé chef d'une armée destinée à envahir l'Angleterre, il renonça à ce projet par trop périlleux… au moment où *Talleyrand* laissa tomber un mot magique : "l'Orient".

Et plus précisément l'Egypte, mais aussi, pourquoi pas, la Syrie, l'Anatolie… Constantinople ! Le jeune général se mit à rêver de plus belle. La France n'était pas assez prête pour lui ; cette expédition d'Egypte lui offrait par contre de grandes perspectives, sans doute exagérées par *Talleyrand* lui-même. Tout le monde était content de voir s'éloigner l'impétueux *condottiere* : les Directeurs parce qu'ils sentaient en lui un péril mortel, *Talleyrand* parce qu'il était trop tôt pour songer à s'emparer du pouvoir et le *condottiere* lui-même, parce qu'ainsi sa gloire resterait intacte. Il reviendrait quand le fruit serait mûr.

Accompagnée de savants et d'artistes, l'expédition s'embarqua pour l'Egypte dans le plus grand secret en mai 1798. Les Anglais, qui tremblaient depuis des semaines de voir la flotte française croiser dans la Manche, respirèrent en la sachant en Méditerranée. *Nelson*, qui y était aussi avec toute une escadre, la poursuivit activement mais sans la rattraper. Ce fut une chance pour Napoléon, car sur ces navires qui réussirent, par miracle, à passer au travers des mailles du filet anglais, il y avait une élite intellectuelle et militaire qui, plus tard, assurerait la grandeur de l'Empire… Après avoir rebroussé chemin vers l'Egypte, *Nelson* détruisit les navires de Bonaparte une fois l'armée de celui-ci débarquée, le bloquant en Egypte dans sa conquête avec ses hommes, sans communications possibles avec la France.

L'Egypte des Mamelouks, théoriquement inféodée à la Sublime Porte, était, dans la pratique, indépendante et moyenâgeuse. Face aux canons et aux fusils français se présentèrent les plus beaux cavaliers du monde, qui se firent courageusement massacrer dans leurs étoffes somptueuses. Alexandrie fut prise sans grande résistance, puis l'expédition marcha vers Le Caire en endurant d'atroces souffrances dans le désert surchauffé par le soleil de juillet. A Guizeh, les

Mamelouks furent anéantis en une seule bataille, dite des Pyramides. Napoléon, que les indigènes appelaient "Abounaparte", était maître de l'Egypte.

Il s'y comporta en despote oriental, maintenant l'ordre par une répression féroce.

"*Tous les jours, je fais couper cinq ou six têtes dans les rues du Caire. Il faut prendre le ton qui convient pour que les peuples obéissent…*"

Désireux de s'attirer les bonnes grâces des autorités religieuses, il sut se montrer tolérant envers la religion musulmane. Il savait que cela était indispensable pour se faire accepter.

L'Egypte était toutefois une monture rétive, que les "éperons" français ne parvenaient pas à dompter. Des révoltes populaires éclatèrent, matées dans le sang comme en Italie, et le pays ne tarda pas, une fois Napoléon reparti, à s'affranchir de l'autorité de ses envahisseurs.

Emus par la perte de leur province égyptienne, les Turcs, secondés par les Anglais, voulurent passer à

La bataille d'Aboukir, le 7 thermidor an VII (25 juillet 1799)

Après l'échec du rêve oriental de Bonaparte devant Saint-Jean-d'Acre, la retraite de Syrie commença. La guerre devint totale. Avant perdu l'initiative, les conquérants durent résister avec l'énergie du désespoir, égrenant leur calvaire de victoires sublimes : ainsi à Aboukir, près des lieux mêmes où leur flotte avait été détruite par Nelson.

Louis-François Lejeune (1775-1848), 1804.
Musée du château de Versailles.

Pages 50-51
Ordre du jour de Bonaparte, le 14 thermidor an VII (1er août 1799), au sujet de la seconde bataille d'Aboukir

Bonaparte évoque la seconde bataille d'Aboukir dans cette impression du Caire, tirée à 75 exemplaires, sous le contrôle de Berthier, qui donna l'ordre de briser ensuite les plaques. Bonaparte accordait une importance capitale à la circulation des informations, et surtout à leur contenu, veillant toujours à en superviser, voire à en fournir, la substance.

Impression au Caire, Marc-Aurel.

l'offensive. L'armée française tenta de les prendre de court en attaquant la Palestine puis la Syrie. Mais le rêve oriental de Napoléon prit fin devant Saint-Jean-d'Acre, qui résista à huit assauts et brisa son offensive. Ce rêve, il l'avait formulé en ces termes étonnants :

"Si je réussis, comme je le crois, je trouverai les trésors du pacha, et des armes pour trois cent mille hommes. Je soulève et j'arme toute la Syrie, je marche sur Damas et Alep. Je grossis mon armée, en avançant dans le pays, de tous les mécontents ; j'annonce au peuple l'abolition de la servitude et des gouvernements tyranniques des pachas. J'arrive à Constantinople avec des masses armées. Je renverse l'empire turc. Je fonde dans l'Orient un nouvel et grand empire qui fixera ma place dans la postérité et, peut-être, retournerai-je à Paris par Andrinople ou par Vienne, après avoir anéanti la Maison d'Autriche."

Préfigurant celle de Russie, la retraite de Syrie commença. Les blessés intransportables durent être abandonnés à Jaffa et on les aurait achevés afin qu'ils ne tombent pas vivants entre les mains de l'ennemi. Selon certaines sources, de nombreux prisonniers turcs auraient déjà été exécutés de sang-froid. Deux armées ottomanes furent écrasées de justesse, au Mont-Thabor et à Aboukir. Le conquérant avait perdu l'initiative, et cherchait seulement à défendre contre les attaques extérieures un pays qu'il ne maîtrisait plus.

La France, après la Corse et l'Italie, paraissait être en définitive le pays idéal pour la réalisation de ses ambitions.

Des nouvelles reçues de Paris convainquirent Napoléon que le Directoire agonisait. De lourds revers militaires avaient été subis en Allemagne ; le moment était là, qu'il ne fallait pas laisser échapper.

Précédé par l'annonce d'Aboukir, le général Bonaparte abandonna ses hommes pour rentrer précipitamment en France, se faufilant habilement au travers des escadres britanniques. Le 9 octobre 1799, il débarquait dans la baie de Saint-Raphaël.

Un mois plus tard, c'était le 18 brumaire.

La bataille des Pyramides, le 3 thermidor an VI (21 juillet 1798)

L'Egypte des Mamelouks, inféodée à la Sublime Porte, était en pratique indépendante. La résistance de ces farouches guerriers fut âpre. Mais Alexandrie fut prise plus facilement et les Mamelouks furent anéantis en une seule bataille, devant les Pyramides. Napoléon se comporta alors en despote oriental.

Louis-François Lejeune (1775-1848), daté 1806.
Musée du château de Versailles.

Victoire d'Aboukir en Egypte. du 7 thr an 7.

Au quartier-général du Kaire, le 25 thermidor an 7 de la République Française, une et indivisible.

ORDRE DU JOUR, du 25 thermidor an 7.

LE général *Songïs* commande l'artillerie de l'armée.

Le citoyen *Samson*, chef de brigade du génie, est promu au grade de général de brigade, commandant l'arme du génie de l'armée.

L'adjudant-général *Sornet* est employé à l'état-major général de l'armée.

Cartel d'échange arrêté entre le Général MARMONT, autorisé spécialement par le Général en Chef BONAPARTE, et le PATRONA-BEY, Commandant l'Escadre Turke.

ART. I.er Les prisonniers respectifs seront échangés homme pour homme et grade pour grade.

II. Les blessés et chirurgiens ne seront point censés être prisonniers de guerre.

III. Tous les prisonniers Français actuellement existans à Constantinople et dans les différentes places de l'empire de Turkie, seront transportés d'ici à trois mois, et plutôt si cela se peut, sur des bâtimens, devant le port d'Alexandrie : à la même époque un même nombre de prisonniers Turks seront transférés à Alexandrie, et on procédera à l'échange d'après les articles I et II.

IV. Toutes les fois que des bâtimens turks, ayant à bord des prisonniers français, viendront devant Alexandrie, et feront connaître au commandant de cette place le nombre de prisonniers qu'ils ont à échanger, le commandant français sera tenu de représenter un même nombre de prisonniers turks, dans l'espace de soixante-douze heures, afin que l'on puisse sur-le-champ procéder à l'échange.

A Alexandrie, le 18 thermidor an 7 de la République.

Le GÉNÉRAL EN CHEF est mécontent du général *Zayonschek* qui a mis de la négligence dans l'exécution de l'ordre réitéré de faire partir pour le quartier-général le 3.e bataillon de la 22.me demi-brigade d'infanterie légère ; le général *Zayonschek*, commandant une province directement sous ses ordres, n'a aucune excuse à alléguer. Le GÉNÉRAL EN CHEF ordonne au général *Zayonschek* de garder les arrêts pendant vingt-quatre heures. Immédiatement après la réception du présent ordre, il lui est ordonné de faire embarquer et partir pour le Kaire le 3.e bataillon de la 22.me demi-brigade d'infanterie légère.

Signé ALEXANDRE BERTHIER, *Général de Division*
Chef de l'Etat-major général.

Au quartier-général d'Alexan'rie, le 14 thermidor an 7 de la
République Française, une et indivisible.

ORDRE DU JOUR du 14 thermidor an 7.

BONAPARTE, GÉNÉRAL EN CHEF,

Le nom d'Abou-Qyr était funeste à tout Français ; la journée du 7 thermidor l'a rendu glorieux : la victoire que l'armée vient de remporter accélère son retour en Europe.

Nous avons conquis Mayence et la limite du Rhin, en envahissant une partie de l'Allemagne, nous venons de reconquérir aujourd'hui nos établissemens aux Indes, et ceux de nos alliés. Par une seule opération, nous avons remis dans les mains du Gouvernement le pouvoir d'obliger l'Angleterre, malgré ses triomphes, maritimes, à une paix glorieuse pour la République.

Nous avons beaucoup souffert : nous avons eu à combattre des ennemis de toute espèce ; nous en aurons encore à vaincre : mais enfin le résultat sera digne de nous, et nous méritera la reconnaissance de la patrie.

BONAPARTE.

Signé ALEXANDRE BERTHIER, *Général de Division, Chef*
de l'Etat-major général.

Pour copie conforme au registre d'ordre ;

AU KAIRE, DE L'IMPRIMERIE NATIONALE.

Vers le Sacre : 1799-1804

Brumaire an VIII (9 et 10 novembre 1799)

Un autre général que Bonaparte aurait été inquiété pour ce retour inopiné en France. Or, il arrivait à Paris au moment précis où le Directoire expirait sous les menées des divers courants d'opposition, depuis les Royalistes, assez puissants dans l'Ouest et le Midi, jusqu'aux Jacobins, rêvant d'une République qui leur appartiendrait. Déjà les rats quittaient le navire : *Sieyès*, l'un des cinq Directeurs, avait préparé un coup d'Etat en pensant s'appuyer sur le *général Joubert*, prématurément tué durant l'été 1799. *Barras* se sentait mal assuré et caressait l'éventualité d'une restauration monarchique. Tous attendaient l'occasion d'agir.

Comparaissant devant le Directoire afin de justifier son retour imprévu, Napoléon déclara suavement :

"Ce qui me fut le plus sensible, c'est qu'on attribuait vos malheurs à mon absence..."

Il jura aussi, désignant le cimeterre turc qui pendait à son côté et lui servait d'épée :

"Citoyens Directeurs, je jure qu'elle ne sera jamais tirée que pour la défense de la République et celle du gouvernement."

Ses auditeurs avaient, chacun de son côté, trop besoin de lui pour vouloir l'éliminer. Auréolé par sa victoire d'Aboukir, le jeune conquérant de l'Italie paraissait être l'homme providentiel, celui qui pourrait devenir l'arbitre des luttes intestines que se livraient tous les partis. Défaite militaire, l'expédition d'Egypte portait finalement ses fruits politiques : Bonaparte n'avait pas été souillé par les compromissions du Directoire et était considéré par la population comme le seul général invaincu du temps. Le parfum d'aventure et de gloire qui s'attachait à sa personne, sa jeunesse aussi, faisaient de lui l'homme de la situation.

Et puis, pour lui indiquer la marche à suivre, il y avait toujours *Monsieur de Talleyrand*.

"Démissionné" en juillet 1799, le ministre des Relations extérieures n'avait pas quitté Paris, observant soigneusement la décomposition accélérée du Directoire. L'impopularité, la corruption, les revers militaires, la gestion désastreuse des affaires publiques, faisaient des cinq "rois" du Directoire des condamnés à brève échéance.

Matinée du 18 brumaire an VIII (9 novembre 1799)

Le plan du coup d'Etat consistait à faire confier légalement à Bonaparte la sûreté de la représentation nationale et à placer sous ses ordres toutes les forces dépendant de la division militaire de Paris. Anticipant sur cette décision, le général avait invité individuellement un certain nombre d'officiers de haut grade à se rendre à son domicile dès le lever du jour. Il est représenté ici sur le perron de l'hôtel de la rue de la Victoire. Bonaparte tient à la main le décret du Conseil des Anciens et demande aux officiers présents de sauver la République. Ceux-ci acclament leur chef provisoire. A dix heures, Bonaparte prêtera serment devant le Conseil des Anciens. Mais la partie la plus difficile se jouera le lendemain à Saint-Cloud. Lucien Bonaparte sauvera in extremis son frère d'un échec fatal.

Champion del,
lith. de Ch. Motte.

Quel camp choisir cependant ? Qui favoriser ? De qui obtiendrait-on les meilleures garanties ? *Rœderer, Regnault, Boulay de la Meurthe, Maret,*

Fouché (déjà ministre de la Police) s'en vinrent visiter Napoléon pour l'entretenir de la situation politique et sonder ses intentions.

Deux ans auparavant, c'était l'Orient qui *"n'attendait qu'un homme"* ; aujourd'hui, c'était la France.

Bonaparte méprisait **Barras** pour son cynisme et ses compromissions, et le considérait comme un politicien fini. Les Jacobins l'auraient peut-être plus attiré, mais il se heurtait à l'hostilité de **Bernadotte**, époux de **Désirée Clary**. L'ancien projet de **Sieyès**, qui voulait réformer la Constitution en s'appuyant sur un sabre, sauva provisoirement celui-ci. C'est à lui que pensa **Talleyrand** pour "réintégrer" Bonaparte dans le jeu du pouvoir.

La difficulté essentielle provenait du fait que, si les deux hommes avaient besoin l'un de l'autre, ils répugnaient absolument à se l'avouer. Toutes les occasions leur étaient bonnes pour se manifester dédain et mépris : il fallut le "dévouement" et l'habileté de **Talleyrand**, qui jouait à quitte ou double, pour les amener à conspirer ensemble. L'entrevue cruciale eut lieu début novembre. Dès lors, les événements se précipitèrent.

Sentant le vent tourner, **Barras** vint faire sa soumission et offrir ses services. Bonaparte devait être l'un des trois futurs Consuls, avec **Sieyès** et **Ducos** : **Sieyès** croyait encore à un coup d'Etat parlementaire où les militaires n'auraient été que des figurants. Rentrée en grâce malgré un amant tendrement aimé. **Joséphine** se répandait en mondanités et organisait des fêtes somptueuses, tandis que **Talleyrand** parcourait les salons de Paris à la recherche de nouvelles complicités. **Fouché** affirmait aux Directeurs qu'il n'avait entendu parler de rien et qu'il serait le premier au courant s'il devait vraiment se produire quelque chose.

Ce qui était absolument vrai, puisqu'il était dans la conjuration.

Le coup d'Etat proprement dit dura deux jours, les 18 et 19 brumaire an VIII (9 et 10 novembre 1799). Alerté par l'un des siens, le Conseil des Anciens décréta qu'il se transporterait à Saint-Cloud pour être "*à l'abri des surprises et des coups de main*". La précaution aurait peut-être été sage si le général Bonaparte n'avait pas été chargé "*de l'exécution du présent décret*". Napoléon se rendit aux Tuileries où les Anciens étaient encore réunis, pour les assurer qu'il arrêterait "*ceux qui voudraient le trouble et le désordre*". Les généraux **Berthier, Marmont, Lefebvre** etc., se portèrent garants de ces bonnes intentions. **Bernadotte** était resté chez lui.

Aux soldats, dont les conspirateurs ignoraient les dispositions profondes, Napoléon fit un discours enflammé :

"*A entendre quelques factieux, bientôt nous serions tous des ennemis de la République, nous qui l'avons affermie par nos travaux et notre courage !*"

Ces paroles remportèrent l'écho qu'on en attendait, et la troupe marcha avec les conjurés. Parallèlement, **Sieyès** et **Ducos** démissionnaient de leurs fonctions de Directeur tandis que **Barras**, terrorisé et "convaincu" par **Talleyrand**, laissait place nette en déclarant avec empressement qu'il "*rentrait avec joie dans le rang de simple citoyen*". Emu par tant de bonne volonté, l'ancien évêque "oublia" de remettre au Directeur les trois millions qu'on lui avait donnés pour vaincre ses dernières résistances…

Corrompu et piètre chef d'Etat, **Barras** avait causé sa perte en protégeant la carrière de ceux qui le déposaient alors, n'ayant plus aucun besoin de lui.

Le deuxième acte eut lieu le lendemain, au château de Saint-Cloud "protégé" par 6 000 hommes en armes commandés par **Murat**. L'indécision flottait dans l'air. Las d'attendre que les Anciens aient entériné la démission du Directoire, Napoléon entra dans la salle des débats. Son apparition fit sensation, inquiétant ceux qui n'étaient au courant de rien. Le général savait mieux haranguer ses hommes que les politiciens : ses propos furent confus et sans suite, embarrassés, à tel point qu'il dut ressortir sous les huées.

"*Suivez-moi, je suis le dieu du jour !*" déclarat-il entre autres.

En fait profondément désemparé, Napoléon, accompagné de ses grognards, se rendit dans l'orangerie du château auprès du Conseil des Cinq-Cents, déterminé à jouer le tout pour le tout.

Lucien Bonaparte, président de l'assemblée, essayait vainement de calmer l'agitation des parlementaires. Il eut la présence d'esprit de retirer les attributs de sa fonction, geste qui levait la séance et empêchait la mise hors-la-loi de Napoléon d'être votée. "*Point de dictature !*" criaient les députés affolés, "*Nous sommes libres ici ! Les baïonnettes ne nous effraient pas !*".

Voyant son général sortir brusquement en chancelant, **Murat** commanda immédiatement à ses grenadiers : "*Foutez-moi tout ce monde-là dehors !*", tandis que **Lucien**, brandissant une épée en un geste théâtral, jurait qu'il en transpercerait son frère "*si celui-ci aspirait à la tyrannie*".

Un mandat territorial du 28 ventôse an IV (18 mars 1796)

Ne retenant pas la leçon de l'échec de Law en 1720, la Révolution s'engage dans la voie du papier-monnaie. Des bons sont "assignés", c'est-à-dire gagés, sur les biens du clergé nationalisés. Dès le début, la population fait preuve de la plus haute réticence vis-à-vis de ces assignats. Quarante-sept milliards de livres en papier ont été cependant émises. En 1796, ces assignats ont perdu 99,9 % de leur valeur. Des mandats territoriaux sont émis en remplacement. Ils ne tiendront que six mois. La loi du 16 pluviôse an V (4 février 1797) prononce la disparition définitive du système. Mais, malgré l'apport en numéraire dû aux victoires du Directoire, le besoin se fait toujours sentir d'un système stabilisé. Bonaparte l'apportera, avec la confiance revenue.

Musée de la Monnaie.

Dispersés par les "baïonnettes", les députés se répandirent dans les jardins en se prenant les pieds dans leurs jupes "romaines", peu faites pour la course. Le plan de *Sieyès* était anéanti par l'intervention de l'armée. Le soir même, Bonaparte, qui s'était ressaisi, était devenu le chef de la conjuration, l'un des trois nouveaux Consuls. *Ducos* le désigna pour prendre la tête du gouvernement ; *Sieyès* n'osa s'y opposer. Paris, qui avait perdu sa foi révolutionnaire, accepta sans broncher le changement de régime.

"*La farce est jouée*", s'écria *Réal* sarcastique, tandis que *Talleyrand*, nonchalant et revenant à l'essentiel, recommandait à ses amis :

"*Il faut dîner maintenant...*"

Le pouvoir réel était entre les seules mains du Premier Consul, approuvé par *Talleyrand* :

"*Il faut que vous soyez Premier Consul et que le Premier Consul ait dans sa main tout ce qui tient directement la politique, c'est-à-dire le ministère de l'Intérieur et de la Police pour les affaires du dedans, mon ministère [celui des Relations extérieures] pour les affaires du dehors, ensuite les deux grands moyens d'action : la Guerre et la Marine.*"

La Justice et les Finances seront confiées à des seconds couteaux ; "*cela les amusera et les occupera et vous, Général, ayant à votre disposition toutes les parties vitales du gouvernement, vous arriverez au noble but que vous vous proposez : la régénération de la France.*"

La réorganisation du pays : 1800-1802

"*...Napoléon perçait sous Bonaparte...*"

Cette phrase est plus qu'un bon mot : elle traduit une réalité, car à l'aventurier de la Révolution succédait un chef d'Etat exceptionnel.

La transition ne se fit toutefois pas immédiatement ; certes, Napoléon avait déjà exercé un pouvoir souverain en Italie, puis en Egypte, mais la France ne pouvait se gouverner comme un pays conquis. Son état pitoyable exigeait une réorganisation profonde de ses structures, en intégrant les acquis de la Révolution et en préparant l'avenir...

Vite écartés, *Sieyès* et *Ducos* furent remplacés par deux Consuls soumis : *Cambacérès* et *Lebrun*.

Cette "régénération" commença par la promulgation d'une nouvelle Constitution, "*courte et obscure*" à dessein, largement inspirée par *Sieyès, Lebrun* et *Gaudin* et conçue pour ne pas gêner le Premier Consul, qui déclarait impétueusement :

"*Je gouverne, je conserverai la puissance jusqu'à ma dernière heure.*"

Mais il ajoutait aussi :

"*Ma politique est de gouverner les hommes comme le grand nombre veut l'être. [...] Si je gouvernais un peuple de Juifs, je rétablirais le temple de Salomon.*"

Napoléon entendait gouverner seul et mit rapidement en place les fondations de sa dictature, contrôlant la presse et remplaçant les deux Conseils du

**Un franc de l'an XI
(1802-1803) : Bonaparte
premier consul /
république française**

*En février 1800, Bonaparte crée
la Banque de France, qui a le
privilège de l'émission du
papier-monnaie, désormais
accepté par le public, avec le
retour de la confiance. C'est,
par contre, la Monnaie qui
frappe la monnaie métallique,
dont ce franc de l'an XI demeure
un magnifique exemple.*

Musée de la Monnaie.

**Un franc de l'an XI
(1802-1803): Bonaparte
premier consul /
république française**

*Ce remarquable travail est
l'œuvre du graveur général
Pierre-Joseph Tiolier, qui inau-
gurait cette année-là ses fonctions à ce poste qu'il conserva
jusqu'en septembre 1816. La
pièce a été frappée dans les ate-
liers de Paris, dirigés par Ch.-
Pierre de l'Espine, dont le symbole était le coq.*

Musée de la Monnaie.

Directoire par quatre nouvelles instances (le Sénat, le Corps législatif, le Tribunat, le Conseil d'Etat) privées de toute liberté d'action. Le Conseil d'Etat était chargé de préparer les lois, le Tribunat de les discuter sans pouvoir les accepter ni les rejeter, et le Corps législatif les votait sans discussion. Le Sénat, lui, avait pour rôle de nommer les membres des trois autres corps et de veiller à ce que la Constitution soit préservée.

Le recrutement des membres du nouveau gouvernement avait été rapide et sans discussion. *Lebrun*, deuxième Consul, avait dû sa nomination à la bonne tournure de ses épîtres dédicatoires, placées en tête de ses traductions du *Tasse* et d'*Homère*. *Gaudin*, ministre des Finances, fut de la même manière recruté au terme d'une procédure assez sobre :

— *"Vous avez longtemps travaillé dans les Finances ?*

— *Pendant vingt ans, général.*

— *Nous avons grand besoin de votre concours et j'y compte. Allons, prêtez serment. Nous sommes pressés."*

La nouvelle Constitution entra en vigueur le 25 décembre 1799, un mois et demi après le coup d'Etat. C'était aller vite en besogne, trop vite au goût des anciens révolutionnaires qui faisaient remarquer avec amertume que le peuple n'avait même pas été consulté ! Mais de cela il n'était plus question, comme l'indiquait *Cabanis* :

"La classe ignorante n'exercera plus son influence ni sur la législation ni sur le gouvernement ; tout se fait pour le peuple et au nom du peuple, rien ne se fait par lui et sous sa dictée irréfléchie".

Personne ne songea à contester. Las du chaos qui avait suivi la Révolution, les Français n'avaient pas encore à se plaindre de la fermeté de leur nouveau maître, une fermeté qu'ils souhaitaient confusément après toutes ces années d'anarchie…

Ce même 25 décembre, le Premier Consul annonçait son programme au Conseil d'Etat :

"Nous avons fini le roman de la Révolution, il faut en commencer l'histoire, ne voir que ce qu'il y a de réel et de possible dans l'application de ses principes... [...] Il faut rendre la République chère aux citoyens, respectable aux étrangers, formidable aux ennemis."

Le programme était d'autant plus ambitieux que l'état du pays approchait du délabrement complet. L'administration et les finances étaient totalement désorganisées, l'élection à toutes les fonctions publiques conduisait à la tyrannie d'une minorité violente sur une majorité craintive, le budget de l'Etat n'était alimenté que par un emprunt forcé aux revenus dérisoires… L'inflation était galopante, la monnaie-papier (les Assignats) n'inspirait plus confiance, l'insécurité totale, dans les villes, privées de gendarmerie, comme dans les campagnes, où les brigands de grand-chemin œuvraient en toute impunité…

La première chose à faire était de doter l'Etat de moyens d'action en commençant par réorganiser les Finances, et naturellement la perception des impôts. Les milieux financiers avaient contribué au coup d'Etat de Brumaire : ils furent sans doute déçus quand on leur apprit qu'il n'y avait plus dans le Trésor que 167 000 malheureux francs. A la fin novembre 1799, les anciens fonctionnaires élus furent remplacés par des hommes nommés par l'Etat.

Au sommet de la hiérarchie, Bonaparte institua le ministre des Finances, chargé de l'assiette et du recouvrement de l'impôt, et le ministre du Trésor, responsable du mouvement des fonds et des dépenses. Ces deux hommes régnaient sur des contrôleurs, des receveurs, des percepteurs et, en entrant régulièrement en conflit d'intérêt, veillaient à ce que la gestion des finances publiques fût saine.

Napoléon songea aussi à créer un établissement financier qui dépendrait de l'Etat et aurait pour mission d'émettre la monnaie en faisant reposer sa crédibilité sur un capital considérable. Cet établissement permettrait d'asseoir le contrôle de l'Etat sur la monnaie, tout en l'affranchissant de la tutelle des financiers les plus puissants. Issue de ces réflexions, la Banque de France fut fondée en mai 1800.

Les réformes étaient menées tambour battant et suivaient toutes la même procédure : élimination des "élus" du Directoire, qui avaient fait la preuve de leur incompétence, et réorganisation des structures mêmes de l'Etat en prenant en compte les enseignements de la Révolution. Les préfets firent leur apparition, pour les départements, les sous-préfets pour les arrondissements, les maires dans les communes. En mars 1800, le système judiciaire était modifié à son tour dans le sens d'un renforcement de l'autorité gouvernementale.

Partout, la main du Premier Consul se faisait sentir, améliorant ce qui pouvait être conservé de l'appareil gouvernemental et abolissant le reste.

Un autre domaine exigeait une attention particulière de la part du nouveau régime : la paix intérieure. Tant que subsisteraient des troubles et des partis, sans parler des Vendéens qui continuaient de s'agiter dans l'Ouest, le Consulat ne pourrait pas mener à terme toutes les réformes imaginées par Bonaparte. Celui-ci s'orientait vers un exercice solitaire du pouvoir, ayant réduit les assemblées à leur plus simple expression. Les circonstances dramatiques dans lesquelles il avait pris le pouvoir conduisaient les différents partis à prendre patience. Ils voyaient le Premier Consul comme un personnage de transition, qui pouvait redresser la France tout en réunissant le passé au présent. L'attitude même de Napoléon, qui cherchait des appuis politiques dans tous les partis, les confirmait dans cette idée.

"*Gouverner dans un parti*", disait-il, "*c'est se mettre tôt ou tard sous sa dépendance. On ne m'y prendra pas. Je suis national.*"

Ces dispositions d'esprit étaient sans doute les meilleures que pût avoir le gouvernant de ce pays ruiné et ravagé par les querelles intestines qu'était la France de 1800. Une expédition fut envoyée dans l'Ouest, sous les ordres du *général Brune*, afin de remettre les Royalistes dans le droit chemin. Mais la trêve qui fut conclue n'était pas sincère. La question religieuse demeurait le talon d'Achille du Consulat ; même si les églises étaient rouvertes au culte, même si les Emigrés revenaient petit à petit, les anciennes fidélités révolutionnaires ou monarchiques ne s'étaient pas éteintes. On s'accommodait du Consulat plus qu'on n'y adhérait.

La paix extérieure était tout aussi désirable pour un gouvernement dont les efforts s'orientaient vers une reconstruction nationale. Le pays avait besoin de reprendre son souffle, et avait provisoirement abandonné cet esprit de conquête si cher à la Révolution. Dès décembre 1799, Napoléon avait écrit aux souverains des puissances coalisées. Il n'en avait obtenu d'autre réponse qu'un silence dédaigneux.

Pire encore, la guerre avait repris pendant que Napoléon s'affairait à mater les derniers Chouans et à restaurer un semblant d'ordre dans le chaos de l'administration. Soutenue par l'Angleterre, l'Autriche avait attaqué simultanément en Italie et en Allemagne.

Moreau avait été envoyé en Allemagne, mais avait rapidement été contraint de repasser le Rhin, tandis que *Masséna* se trouvait en difficulté et se laissait enfermer dans Gênes. Napoléon décida de passer à l'offensive en Lombardie afin de toucher le dispositif adverse au cœur.

En mai 1800, le Premier Consul partit rejoindre l'armée qu'il avait ordonné de former à Dijon pour secourir l'Italie. Ce fut le passage du col du Grand-Saint-Bernard et, le 14 juin 1800, la bataille de Marengo où se joua le sort du nouveau régime. Livrée contre des Autrichiens supérieurs en nombre, cette bataille ne fut remportée que d'extrême justesse grâce à l'arrivée de *Desaix*, qui lança une attaque désespérée contre des Autrichiens qui se croyaient déjà vainqueurs. *Desaix* y laissa la vie, mais il avait sauvé le Consulat.

Après avoir préparé un successeur à Napoléon imprudemment éloigné des Tuileries, Paris accueillit son retour dans la liesse. Le dictateur de 31 ans était enfin adopté par le peuple français.

L'Autriche crut pouvoir continuer la guerre, mais ses troupes furent écrasées une seconde fois par *Moreau* dans la forêt de Hohenlinden (3 décembre 1800), la contraignant à négocier. Le 9 février 1801, le traité de Lunéville mit un terme aux hostilités. La France s'assurait la possession des "limites naturelles", le Rhin, les Alpes et les Pyrénées ; elle contraignait aussi l'Autriche à reconnaître le protectorat français sur les Républiques batave, helvétique, cisalpine, ligurienne. Vienne devait aussi accepter le remaniement, par la France, du Corps germanique.

Les avances faites à la Russie avaient été bien accueillies par *Paul Ier*, revenu de son hostilité de 1799. Mais cette alliance si prometteuse, qui sera renouvelée à Tilsit, dépendait en réalité de la vie du Tsar, comme le régime consulaire dépendait de celle de Napoléon. Inquiets de voir *Paul* se retourner contre eux, les Anglais fomentèrent son assassinat avec quelques membres de l'élite russe, excédés par la folie du Tsar et un oukase qui fermait les ports russes aux navires britanniques. En mars 1801. *Paul* fut étranglé et son fils *Alexandre* lui succéda au grand soulagement de tous, sauf du Premier Consul. Le nouveau Tsar avait 23 ans et voulait faire le bonheur de ses sujets. Aussi se préoccupait-il assez peu d'envoyer ses troupes à l'étranger. Cela viendrait…

Pages suivantes
Le passage du col du Grand-Saint-Bernard par l'armée française, le 20 mai 1800

En mai 1800, le Premier Consul partit rejoindre l'armée pour secourir l'Italie. Le passage de ce col, moment intense de la mythologie napoléonienne, allait conduire à la difficile victoire de Marengo, livrée contre les Autrichiens.

Charles Thévenin (1764-1838), 1808.
Musée du château de Versailles.

59

Contre l'Angleterre, qui s'obstinait dans la lutte, Napoléon conclut des alliances précieuses avec l'Espagne, Naples, les Etats-Unis, Alger, Tunis… La Grande-Bretagne, qui avait gagné dans cette guerre tout ce qu'elle pouvait désirer, et dont la situation politique intérieure se fragilisait, se résolut enfin à parler de paix. La démission de *Pitt* y était pour beaucoup, et son retour au pouvoir en 1803 remettrait tout en cause.

Le 27 mars 1802 fut signée la Paix d'Amiens, au grand soulagement des deux pays. Elle ne serait pourtant qu'un entracte d'un an dans une guerre qui en durerait plus de vingt (1793-1815).

Un autre conflit durerait aussi longtemps que l'Empire : celui qui l'opposerait au Saint-Siège.

Le Premier Consul savait que la paix intérieure ne serait jamais réellement acquise tant que la religion demeurerait une pierre d'achoppement entre les différentes tendances politiques. L'Eglise avait été durement atteinte par la Révolution : ses biens avaient été vendus, ses prêtres "convertis" à la République ou pourchassés, ses Etats envahis par les armées françaises. Mais le sentiment religieux n'avait pas disparu de France, demeurant le ciment nécessaire à la reconstruction de la société voulue par Napoléon.

"Une société sans religion est comme un vaisseau sans boussole, il n'y a que la religion qui donne à l'Etat un appui ferme et durable."

La tentative de la Révolution française d'instituer une Eglise de France soumise à l'Etat n'avait pas donné de très bons résultats. Bien au contraire, c'était à propos de cette Eglise avilie et humiliée que renaissaient toujours les plus vieilles querelles entre les partis.

"Pour arrêter ce désordre, il fallait rasseoir la religion sur sa base, et on ne pouvait le faire que par des mesures avouées par la religion même. C'était au Souverain Pontife que l'exemple des siècles et la raison commandaient de recourir pour rapprocher les opinions et réconcilier les cœurs."

Les anciens révolutionnaires ne suivaient pas le même raisonnement, comme on peut s'en douter, et c'est dans une situation de tension intérieure que commencèrent les négociations avec le Saint-Siège.

Pie VII ne fit rien pour les faciliter ; il voulait bien "pardonner" ses errements passés à la Fille aînée de l'Eglise, mais son pardon dépendait d'un certain nombre de conditions.

**Bonaparte signant
le Concordat,
le 16 juillet 1801**

Désirant fermer les cicatrices encore fraîches des temps de la déchristianisation révolutionnaire et arrêter les querelles à propos de l'Eglise de France soumise à l'Etat, Bonaparte força la main du Pape en laissant planer l'éventualité de l'invasion des Etats pontificaux. Le message fut bien reçu et le Concordat signé par le représentant papal, le cardinal Consalvi, quatre jours après l'intervention amicale du Premier Consul.

Baron François Gérard
(1770-1837).
Musée du château de Versailles.

Les négociations furent longues et douloureuses. Napoléon dut donner de la voix le 12 juin, en adressant un ultimatum au représentant du Pape, le **cardinal Consalvi**. Rome avait des raisons de prendre cet ultimatum au sérieux : la France dominait l'Italie et pouvait facilement envahir les Etats pontificaux. Le message fut bien compris et, le 16 juillet, était signé le Concordat.

Ce document précisait que la religion catholique était celle de la grande majorité du peuple français, que le culte était libre, que les évêques seraient nommés par le gouvernement, recevraient l'investiture de Rome et deviendraient des fonctionnaires appointés par l'Etat auquel ils prêteraient serment. Autre concession majeure de Rome, la vente des biens ecclésiastiques effectuée depuis 1789 était reconnue valable et les acheteurs ne seraient pas obligés de restituer ceux-ci. C'était une chose sur laquelle le Consulat ne pouvait se permettre de revenir. *Louis XVIII* n'aurait pas cette sagesse lors de la Première Restauration.

Le Concordat fut accepté en France parce que tous les esprits modérés y voyaient un instrument de paix, une volonté de composer avec le plus grand nombre. Seuls quelques Républicains enragés conti-nuèrent de récriminer contre cet acte de sagesse poli-tique. A la sortie de Notre-Dame, un général déclara au Premier Consul :

"C'est une belle capucinade ! Il n'y manque qu'un million d'hommes qui se sont fait tuer pour détruire ce que vous rétablissez !"

Napoléon laissait dire. Cet accord avec Rome légitimait son régime et constituait une étape impor-tante vers l'ordre et la paix intérieurs qu'il s'efforçait de rétablir. *Pie VII*, quant à lui, maudissait le Premier Consul tout en affectant d'être son allié.

Ni l'un ni l'autre n'avaient dit leur dernier mot.

En l'espace de deux ans, et grâce à des conseillers hors-pair, Napoléon avait réussi la gageure de rétablir la situation intérieure et extérieure de la France. Ruinée en 1799, l'économie redémarrait lente-ment ; les nouvelles institutions avaient donné au régime une solidité qui lui permettait de mener une politique à long terme ; enfin, succès inappréciable, le perpétuel danger d'une agression étrangère était provisoirement écarté.

Au printemps 1802, la France républicaine était gouvernée par une dictature qui la préparait à l'Empire. Nommé Consul à vie dès le 2 août 1802, son maître s'y préparait aussi.

Le Consul à vie : 1802-1804

Le 24 décembre 1800, le Premier Consul avait été victime d'un attentat alors qu'il passait rue Saint-Nicaise pour se rendre à l'Opéra. Il en avait réchappé de justesse. Quelques suspects furent déportés à cette occasion. Napoléon était convaincu que les auteurs de l'attentat étaient des "terroristes" anarchistes, mais *Fouché* penchait plutôt pour les Royalistes, ce qui fut reconnu pour vrai. Les coupables furent retrouvés et exécutés, et les anarchistes restèrent en déportation car c'étaient *"des hommes mauvais par eux-mêmes"*.

L'attentat avait physiquement manqué son objectif, mais ses répercussions n'en furent pas moins considérables. Il avait souligné l'importance du pro-blème de la succession, déjà soulevé lorsque le Pre-mier Consul était parti combattre les Autrichiens en Italie. Prévoyants, *Fouché* et *Talleyrand* avaient alors comploté "au cas où" il n'en reviendrait pas. Ils avaient naturellement dénoncé leurs complices (dont le sénateur *Clément de Ris*) au Maître dès son retour, afin de lui prouver que leur fidélité à sa personne demeurait intacte. Napoléon n'était évidemment pas dupe de ces simagrées d'allégeance, mais il avait trop besoin de ces deux hommes pour pouvoir s'en défaire. Ce genre de complots renaîtra chaque fois que l'Empereur jouera son sort dans une grande bataille, loin de Paris et de ses coteries. Un jour, ce seront les conspirateurs qui auront raison…

Le problème successoral restait entier au lende-main de l'attentat de la rue Saint-Nicaise, et chacun était désormais conscient que le relèvement du pays dépendait, sinon d'un homme, du moins de la conti-nuité du système gouvernemental qu'il s'était efforcé de mettre en place. L'hérédité du pouvoir, la fondation d'une dynastie qui aurait repris à son compte les fastes monarchiques étaient dans tous les esprits. Ministre de l'Intérieur et brillant politicien, *Lucien Bonaparte* propageait volontiers ces idées qui servaient ses ambi-tions. Son enthousiasme, son manque de prudence et son empressement à briguer l'éventuelle succession du Premier Consul amenèrent celui-ci à envoyer son frère en Espagne et à le tenir durablement à l'écart.

Napoléon lui-même songeait à cette possibilité mais n'en parlait guère, hésitant à franchir le pas. Si *Talleyrand* l'encourageait volontiers dans cette voie, le Premier Consul attendait de voir un peu mûrir une opi-nion publique encore marquée par dix ans de Révolu-tion. L'opposition à ces projets était assez forte, les tenants de l'oligarchie consulaire répugnant à voir s'instaurer une dictature "individuelle". Le Corps législatif, le Tribunat murmuraient suffisamment fort pour que Napoléon s'irritât de leur résistance. Certains projets de loi, et notamment les détails du *Code civil*, étaient discutés avec trop de véhémence pour l'ombra-geux Premier Consul, qui s'écriait :

"C'est une vermine que j'ai sur mes habits ; mais croient-ils que je me laisserai faire comme Louis XVI ?"

Et de fait, cette opposition d'intellectuels ou de généraux qui ne reposait sur aucune assise populaire fut aisément réduite au silence. Même *Fouché*, que l'on suspectait de ne pas adhérer au projet de Consulat à vie, fut écarté de la Police. Il y reviendrait plus tard, après avoir été quelque temps *"radoter au Sénat"* selon l'expression du futur empereur.

BULLETIN DES LOIS.

N.° I.

(N.° 1.) *SÉNATUS-CONSULTE ORGANIQUE.*

Du 28 Floréal an XII.

NAPOLÉON, par la grâce de Dieu et les constitutions de la République, EMPEREUR DES FRANÇAIS, à tous présens et à venir, SALUT.

Le Sénat, après avoir entendu les orateurs du Conseil d'État, a décrété et nous ORDONNONS ce qui suit :

EXTRAIT des registres du Sénat conservateur, du 28 Floréal an XII de la République.

LE SÉNAT CONSERVATEUR, réuni au nombre de membres prescrit par l'article 90 de la Constitution ; vu le projet de sénatus-consulte rédigé en la forme prescrite par l'article 57 du sénatus-consulte organique en date du 16 thermidor an X ;

Après avoir entendu, sur les motifs dudit projet, les orateurs du Gouvernement, et le rapport de sa commission spéciale, nommée dans la séance du 26 de ce mois ;

L'adoption ayant été délibérée au nombre de voix prescrit par l'article 56 du sénatus-consulte organique du 16 thermidor an X,

1.   IV.ᵉ *Série.*   **A**

(2)

DÉCRÈTE ce qui suit :

TITRE PREMIER.

ART. 1.ᵉʳ LE GOUVERNEMENT DE LA RÉPUBLIQUE est confié à un Empereur, qui prend le titre d'EMPEREUR DES FRANÇAIS.

La justice se rend, au nom de l'EMPEREUR, par les officiers qu'il institue.

2. NAPOLÉON BONAPARTE, Premier Consul actuel de la République, est EMPEREUR DES FRANÇAIS.

TITRE II.

De l'Hérédité.

3. La dignité impériale est héréditaire dans la descendance directe, naturelle et légitime de NAPOLÉON BONAPARTE, de mâle en mâle, par ordre de primogéniture, et à l'exclusion perpétuelle des femmes et de leur descendance.

4. NAPOLÉON BONAPARTE peut adopter les enfans ou petits-enfans de ses frères, pourvu qu'ils aient atteint l'âge de dix-huit ans accomplis, et que lui-même n'ait point d'enfans mâles au moment de l'adoption.

Ses fils adoptifs entrent dans la ligne de sa descendance directe.

Si, postérieurement à l'adoption, il lui survient des enfans mâles, ses fils adoptifs ne peuvent être appelés qu'après les descendans naturels et légitimes.

L'adoption est interdite aux successeurs de NAPOLÉON BONAPARTE et à leurs descendans.

5. A défaut d'héritier naturel et légitime ou d'héritier adoptif de NAPOLÉON BONAPARTE, la dignité impériale est dévolue et déférée à *Joseph Bonaparte* et à ses descendans naturels et légitimes, par ordre de primogéniture, et de mâle en mâle, à l'exclusion perpétuelle des femmes et de leur descendance.

Longtemps discuté, le *Code civil* ne fut promulgué que le 21 mars 1804. Il se fondait sur la liberté des personnes, la liberté du travail, et l'égalité de tous devant la loi. Respect des principes de 1789 donc, mais avec quelques aménagements destinés à renforcer les structures de la "nouvelle" société que Napoléon voulait construire : la femme était traitée en mineure, le divorce durci, les enfants naturels exclus de l'héritage. Ce *Code*, qui reste encore en vigueur dans ses grandes lignes, consacrait l'accession au pouvoir de la bourgeoisie et de ses valeurs fondamentales : liberté, égalité, propriété. Il permettait au futur empereur de se concilier les classes moyennes et les paysans en empêchant le retour aux mœurs juridiques de l'Ancien Régime.

Tout était prêt pour l'Empire : Napoléon avait réformé l'administration, assaini les finances publiques, dicté sa paix à l'Autriche et à l'Angleterre, doté l'Etat d'un corps de lois solide et suffisamment souple pour qu'on s'en passe à l'occasion. C'était le Sénat qui se chargeait de ce travail. Garant de la Constitution, il avait aussi le pouvoir de la modifier si besoin était ; ses discussions présentaient l'avantage de n'être pas publiques. C'est ainsi que fut inventé le "sénatus-consulte", qui permettait en définitive de se passer de lois et de glisser, insensiblement, vers l'absolutisme du pouvoir impérial.

La propagande officielle jouait à fond auprès des masses : Napoléon instaura un véritable culte autour de sa personne et de sa politique, se fondant sur des résultats indéniables et sur une légende naissante que l'on entretenait savamment. Le *Journal de Paris* affirmait ainsi le plus sérieusement du monde :

"La force prodigieuse des organes du Premier Consul lui permet dix-huit heures de travail par jour, elle lui permet de fixer son attention pendant ces dix-huit heures sur une même affaire ou de l'attacher successivement sur vingt, sans que la difficulté ou la fatigue d'aucune embarrasse l'examen d'une autre…"

Le peuple, l'armée, les notables s'attachaient à leur Premier Consul, oubliant Brumaire pour ne se rappeler que Marengo, et les pillages d'Italie pour Arcole. Parallèlement, les anciens Royalistes, favorables à la dérive monarchique du régime, se rapprochaient des Brumairiens les plus convaincus de la nécessité d'un renforcement du pouvoir exécutif.

Le 6 mai 1802, le Tribunat réclamait un plébiscite national avec pour question : *"Napoléon Bonaparte sera-t-il Consul à vie ?"*. Les résultats furent enthousiasmants : 3 653 600 "oui" contre 8 272 "non". Ces derniers, émanant de l'armée pour la plupart, firent l'objet de mesures particulières :

"Le premier d'entre vous qui ne votera pas pour le Consulat à vie, expliquait paternellement un général à ses hommes, *je le fais fusiller à la tête du régiment."*

Ce succès conduisit Napoléon sur la voie du Sacre : il commença à se comporter en souverain couronné, réintroduisit des habitudes et une étiquette qui n'étaient plus en vigueur depuis un lustre, interdit le tutoiement, organisa sa Cour et ses costumes… La Légion d'honneur fut fondée à cette époque, rappelant beaucoup, par la couleur rouge de son ruban, celui de l'ordre de Saint-Louis…

Les Royalistes ne s'avouaient pas vaincus. Ils mirent au point une nouvelle conjuration, dirigée par le **général Pichegru** et à laquelle s'étaient ralliés **Cadoudal** et **Moreau**, le vainqueur d'Hohenlinden. L'affaire aurait pu avoir des conséquences historiques, mais un agent secret de la Police permit d'éventer le complot. Les chefs de la conjuration furent vite arrêtés, et l'un de leurs hommes, en parlant, avoua qu'ils attendaient "un prince" pour passer à l'action.

L'alerte avait été chaude et Napoléon, exaspéré, était entré dans une rage meurtrière.

"Suis-je donc un chien que l'on peut assommer dans la rue… tandis que mes meurtriers seront des êtres sacrés ! On m'attaque au corps ! Je rendrai guerre pour guerre !"

Ce "prince" énigmatique, on crut – ou on voulut croire – qu'il s'agissait du **duc d'Enghien**, dernier de la lignée des **Condé**. Le jeune homme résidait tout près de la frontière, en territoire badois, avec une petite cour d'émigrés. Dans la nuit du 14 au 15 mars 1804, le Rhin fut franchi par un petit parti de cavaliers français auquel appartenait **Caulaincourt**. Le prisonnier fut ramené à Vincennes sous bonne garde. Mais que devait-on en faire ?

"Il faut bien apprendre à la Maison de Bourbon que les coups qu'elle dirige sur les autres peuvent retomber sur elle-même !"* déclarait Napoléon, avide de frapper les esprits de ceux qui voudraient encore chercher à l'assassiner. Interrogé dans la nuit du 20 mars, **Enghien** fut fusillé dans les fossés du château de Vincennes après un procès expéditif. Il n'y eut que

les Jacobins pour applaudir à l'exécution de ce prince. Au dernier moment, Napoléon avait voulu reporter l'exécution, mais l'ordre était arrivé trop tard. L'erreur était consommée.

Le malaise fut certain, et durable. Cette affaire resterait comme une tache indélébile sur la conscience de ses organisateurs et acteurs. Napoléon ne pourrait jamais se justifier complètement ; *Talleyrand* ne parviendrait pas à faire disparaître toutes les pièces du dossier qui l'accablait ; *Caulaincourt*, lui, serait mal reçu par le Tsar des années plus tard, quand il serait envoyé en ambassade auprès de lui…

Rapidement jugulée, la conspiration de l'an XII eut pour conséquence involontaire une campagne de propagande visant à établir de meilleures bases pour le pouvoir du Premier Consul. Docile, le Tribunal proposa de résoudre le problème de la succession en conférant la dignité impériale à Napoléon ainsi qu'à sa famille. Une nouvelle Constitution fut rédigée en un temps record, jetant les bases de l'Empire.

Celui-ci fut bien accepté par l'opinion car il apportait une réponse satisfaisante à la question successorale et stabilisait le pouvoir. Les complots, les tentatives d'assassinat n'avaient plus lieu d'être puisque la mort du chef de l'Etat ne remettrait pas en cause l'existence même du régime. Les nouveaux dignitaires impériaux firent leur apparition (Grand Chambellan, Grand Electeur, etc.), de même que les premiers maréchaux : *Berthier, Murat, Masséna.*

Augereau, Bernadotte… Embryon de la future noblesse d'Empire, une caste de privilégiés proches de l'Empereur se constituait peu à peu.

Soucieux d'asseoir sa légitimité sur l'approbation populaire, Napoléon ordonna un nouveau plébiscite : il y eut 3 572 329 "oui" contre 2 569 "non"… La nouvelle famille impériale était naturellement favorable à cette élévation, mais à des degrés divers. *Lucien*, le plus brillant, avait été purement et simplement écarté de l'ordre successoral ; seuls les descendants de Napoléon, de *Joseph* et de *Louis* pourraient devenir héritiers du titre impérial. Cet arrangement ne satisfaisait pas les sœurs du futur empereur : leurs enfants ne seraient pas "princes". Elles récriminèrent si bien que Napoléon s'écria un jour : *"En vérité, à entendre mes sœurs, ne dirait-on pas que j'ai frustré ma famille de l'héritage du feu roi notre père !"*

Le problème le plus délicat ne fut finalement pas de convaincre les Français, mais d'amener *Pie VII* jusqu'à Notre-Dame. Seul le Pape pourrait donner au Sacre la valeur symbolique que voulait lui conférer le Premier Consul. Il apporterait au futur empereur une légitimité d'ordre spirituel qu'il ne pouvait négliger, car sans elle il ne paraîtrait rien d'autre qu'un aventurier parvenu à ses fins. *Pie VII* hésita et se fit longuement prier. Les négociations recommencèrent, et aboutirent enfin au résultat escompté : le Pape sacrerait l'Empereur. La cérémonie eut lieu à Paris, le 2 décembre 1804. C'était la revanche de Canossa.

Charles-Maurice de Talleyrand-Périgord au sacre de l'empereur Napoléon, le 2 décembre 1804 (détail)

Le prélat qui fut l'instigateur de la nationalisation des Biens du Clergé saura toujours accompagner, voire provoquer – ainsi le 18 brumaire – la fortune de Bonaparte. Au moment du Sacre, le ministre des Relations extérieures n'a pas encore trahi son maître. A cet instant, les préoccupations du Consul à vie se portent sur un autre évêque, celui de Rome. La présence du Pape était indispensable pour conférer au futur empereur une légitimité d'ordre spirituel que ce dernier ne pouvait pas négliger. Le Pape finit par se laisser convaincre. Il sacra Napoléon, mais celui-ci enleva la couronne des mains du Pape, et prit soin de se couronner lui-même, marquant ainsi l'origine de son pouvoir.

Louis David (1748-1825). Musée du Louvre.

L'EMPEREUR
1804-1815

Le conquérant prophétique : 1804-1812

Histoire d'une apogée : 1804-1807

Le temps des conquêtes

La paix avec l'Angleterre n'avait duré qu'un an. Au printemps 1803, le Premier Consul avait violemment reproché à **lord Withworth**, ambassadeur d'Angleterre, le non-respect du traité d'Amiens qui prévoyait l'évacuation de Malte par les forces britanniques. L'ambassadeur avait répliqué avec hauteur que la France n'avait pas évacué la Hollande et que l'annexion du Piémont et la mainmise sur la Suisse, survenues entre-temps, n'étaient pas prévues dans l'accord. Napoléon se mit alors dans une colère terrible, qualifiant l'occupation de la Suisse et du Piémont de "bagatelles" et menaçant le Britannique d'une attaque contre son pays.

Or, l'Angleterre voyait avec inquiétude le prompt rétablissement d'une France qu'elle avait crue durablement ruinée. A tout prendre, concluait le Cabinet de Londres, la guerre nous épuise mais elle ne renforce pas la France. Le non-respect des engagements pris à Amiens prouvait en outre la précarité d'un traité favorisé par des circonstances ponctuelles. L'affrontement était devenu inévitable.

Un débarquement en Angleterre demandant du temps, Napoléon choisit de commencer par attaquer le Hanovre, possession continentale du roi *George III* et talon d'Achille de la Grande-Bretagne. Il en profita aussi pour parachever la réorganisation de l'Allemagne, entamée à Rastadt en 1797 et poursuivie à Lunéville. Affaiblissant l'influence de l'Autriche dans le Corps germanique au profit des principaux Etats allemands, comme la Bavière ou la Prusse, cette réorganisation déplaisait beaucoup à l'Angleterre qui voyait avec inquiétude la France étendre son pouvoir sur l'Allemagne. Les pays conquis par le Consulat étaient autant de débouchés de moins pour les industriels anglais, Napoléon ayant refusé de conclure l'accord commercial esquissé par le traité d'Amiens. Dès lors, Londres fut l'âme de la résistance contre l'hégémonie française, jouant le rôle de "banquier" des différentes coalitions en répandant généreusement ses célèbres "subsides".

Préparé à partir de 1804 dans le "camp de Boulogne", où étaient rassemblées les troupes d'invasion, le projet de descente en Angleterre contraignit le Cabinet britannique à former une nouvelle coalition comprenant l'Autriche, Naples, la Suède et la Russie, afin de détourner de ses côtes la menace française. Seule la Prusse demeurait prudente, vendant sa neutralité contre le Hanovre. L'assassinat du *duc d'Enghien* en mars 1804 avait fait de l'empereur des Français l'ennemi personnel de tous les souverains d'Europe, qui le haïssaient au moins autant qu'ils le craignaient.

A la fin de septembre 1805, l'Empereur quitta Saint-Cloud pour rejoindre la Grande Armée à Strasbourg. Il avait espéré acquérir la maîtrise des mers, ou tout au moins neutraliser la flotte britannique, en se ménageant le concours de l'Espagne. Le désastre de Trafalgar, survenu le 21 octobre 1805, consacrait pourtant la domination maritime de l'Angleterre. Ce serait, à long terme, un facteur décisif dans la défaite finale, puisque la Grande-Bretagne pourrait frapper où et quand elle voudrait sur le continent.

Dans le même temps, la destruction de la flotte française réduisait à néant tous les projets viables de débarquement sur l'île proprement dite. La stratégie de l'étouffement, du Blocus continental, serait une conséquence logique de Trafalgar. Nul ne pouvait alors deviner que l'Angleterre avait virtuellement gagné la guerre : il faudra près de dix ans pour s'en apercevoir.

La campagne de 1805 fut brillante, amorcée par l'encerclement dans Ulm de l'Autrichien *Mack*. Démoralisé et induit en erreur, celui-ci capitula en permettant aux Français de progresser plus avant. Le 14 novembre, Napoléon entrait dans Vienne. L'intervention des Russes, augmentée des forces autrichiennes encore intactes, aboutit le 2 décembre

à Vienne furent très lourdes et permirent à Napoléon de remanier une nouvelle fois l'Allemagne, créant les royaumes de Bavière et de Wurtemberg, vassalisant toute une nébuleuse de petits princes allemands avides de se retrouver dans le camp du vainqueur.

Le 26 décembre 1805, le traité de Presbourg, dont *Talleyrand* était l'un des signataires, consacrait l'abaissement de l'Autriche qui devait abandonner Venise, la Dalmatie, le Tyrol et la Souabe aux Etats satellites de l'Empire français, lequel s'étendait aussi en Italie du Sud par le contrôle de Naples.

La constitution de la Confédération du Rhin, regroupant la plupart des Etats d'Allemagne du Sud et de l'Ouest sous la "protection" française, amena la destruction du Saint Empire fondé par *Charlemagne* en l'an 800. Le 6 août 1806, *François II* dut abdiquer son titre d'Empereur germanique pour ne plus être "que" l'empereur *François Ier d'Autriche*.

A cette campagne éclair succédèrent quelques espoirs de paix : mais ni la Grande-Bretagne ni la Russie n'avaient encore accepté leur humiliation. A l'été 1806, la Prusse, alors considérée comme la première puissance militaire d'Europe, décida d'entrer en guerre contre la France.

Sa timidité lors des combats de 1805 avait causé la perte des adversaires de Napoléon ; elle escomptait sans doute, forte de l'héritage du *Grand Frédéric*, mettre au pas le conquérant français qui menaçait son influence en Allemagne, tout en se vengeant de l'affront reçu à Valmy. Obnubilés par leur hâte d'en découdre, les Prussiens négligèrent d'attendre leur allié russe et lancèrent leurs troupes, divisées en trois corps, contre la Grande Armée. Mais Napoléon les intercepta avant qu'elles n'aient pu faire leur jonction : le 14 octobre 1806, à Iéna et à Auerstaedt, l'armée de *Frédéric-Guillaume III* était anéantie.

Le 27 du même mois, l'empereur des Français entrait dans Berlin tandis que son malheureux adversaire se réfugiait auprès du Tsar. Sans perdre de temps, Napoléon réorganisa l'ancienne sphère d'influence prussienne à son profit, divisant la Prusse elle-même en quatre départements, lui faisant payer 160 millions de francs de "contributions" de guerre, et élevant l'électeur de Saxe à la dignité royale. Vingt ans après la mort de *Frédéric II*, son royaume était détruit et

1805 à l'écrasante victoire d'Austerlitz où se manifesta le génie napoléonien. *Alexandre* de Russie apprenait à ses dépens qu'il ne serait jamais le stratège qu'il avait rêvé d'être.

Ces succès contre les puissances continentales accentuaient encore l'orientation "terrestre" de l'hégémonie impériale. Les conditions de paix dictées

La victoire d'Austerlitz, le 2 décembre 1805

L'intervention des Russes et des forces autrichiennes encore fraîches n'empêcha pas l'éblouissante victoire d'Austerlitz, modèle définitif de la supériorité de l'intuition guerrière sur l'application des principes d'école.

pratiquement rayé de la carte, ne subsistant qu'à l'est de l'Elbe. Le comportement du vainqueur français, en 1806, serait à l'origine d'un siècle et demi d'antagonisme entre Paris et Berlin.

Restaient la Russie et l'Angleterre. Ce fut à Berlin que Napoléon décréta le début du Blocus continental destiné à asphyxier l'économie britannique en la privant de ses débouchés commerciaux. Puisque Londres se montrait plus redoutable par ses "subsides" que par ses armées, puisque sa flotte rendait impossible une invasion de son sol, il ne restait plus qu'à la ruiner.

La Russie, quant à elle, serait matée dès l'année suivante.

Livrée le 8 février 1807, la bataille d'Eylau demeura indécise et ne fut gagnée que grâce à la charge des quatre-vingts escadrons de la cavalerie de *Murat*. Le temps était de neige et de tempête; *Augereau* se perdit et son Corps fut détruit. L'engagement fut un véritable massacre, comme en témoigne le *64ᵉ Bulletin de la Grande Armée* :

"Après la bataille d'Eylau, l'Empereur a passé tous les jours plusieurs heures sur le champ de bataille, spectacle horrible…"

Napoléon lui-même écrirait à l'Impératrice :

"Ce spectacle est fait pour inspirer aux princes l'amour de la paix et l'horreur de la guerre…"

Dantzig tomba en mars après un siège rapide. La route de la Pologne était ouverte. Pourtant, si les Russes avaient été bousculés à Eylau, ils étaient loin d'être vaincus. La Grande Armée était coupée de ses bases, le sort de la guerre demeurait indécis. Vienne intriguait dans le dos de son vainqueur, l'Espagne adoptait un comportement ambigu… La classe 1808 fut appelée sous les drapeaux pour compenser les pertes d'Eylau; déjà, la Bourse frissonnait et l'on craignait une nouvelle crise monétaire semblable à celle de 1805.

Après Marengo et Austerlitz, Napoléon savait qu'il jouerait une fois de plus le destin de son empire dans la prochaine bataille. Une médiation autrichienne auprès de la Russie ayant échoué, les opérations militaires reprirent avec le printemps. *Alexandre* et *Frédéric-Guillaume* avaient encore resserré leurs liens à Bartenstein, avec la bénédiction de l'Angleterre qui leur avait promis un million de livres de subsides et 200 000 soldats.

Le 14 juin 1807, anniversaire de Marengo, se joua le sort de la campagne. Acculés à la rivière Alle, les Russes étaient en trop mauvaise posture pour résister efficacement à l'attaque massive dirigée contre eux. La bataille de Friedland était gagnée.

"*Le 17 juin au matin, relate* **François Vigo-Roussillon**, *[...] l'Empereur se mit à la tête de la cavalerie et franchit la rivière aux applaudissements de l'infanterie qui était spectatrice. C'était une chose magnifique à voir : le soleil dardait ses rayons sur une ligne de douze régiments de cuirassiers et deux de carabiniers : leurs armes éblouissaient la vue. [...] Le 19, vers les cinq heures du soir, nous arrivâmes devant la ville de Tilsit sur le Niémen. L'armée russe était campée de l'autre côté du fleuve dont elle avait brûlé le pont.*

Ne pouvant passer le Niémen, des camps furent établis aux environs de Tilsit. Aussitôt que Napoléon fut arrivé, l'empereur de Russie lui fit demander une entrevue. Elle eut lieu au milieu du fleuve, un armistice fut publié. Il était convenu que celle les deux armées voulant attaquer l'autre la préviendrait un mois d'avance."

Lorsqu'il rencontra **Alexandre** sur le fameux radeau installé au milieu du Niémen pour leur entrevue, Napoléon avait 38 ans et pouvait prétendre avoir, provisoirement du moins, dompté l'Europe. L'Italie,

s'enthousiasmant pour des causes qu'il abandonnait quand elles ne le faisaient plus rêver... ou qu'elles menaçaient de se concrétiser. Caractère complexe, mystique, chevaleresque, généreux, emporté, le Tsar allait s'avérer à la fois le plus grand allié de Napoléon et son pire ennemi.

Ils s'étaient combattus depuis 1805, quand *Alexandre* avait cru pouvoir se mêler des affaires d'Europe. A l'hostilité des premiers temps avait succédé une certaine estime qui, durant les journées de Tilsit, se transformerait en amitié réelle... reposant toutefois sur une part de calcul.

Napoléon avait un besoin urgent de conclure enfin la paix, *Alexandre* de faire une paix acceptable qui conservât un morceau de Prusse. Tous deux voulaient se séduire : ils y parvinrent aux frais de l'Angleterre. Une alliance qui semblait solide succéda bientôt aux propositions de paix. *Alexandre* adhérait sans réserve au Blocus continental et acceptait la formation du duché de Varsovie ; Napoléon, ému, lui dévoilait sur un ton de confidence les grandes choses qu'ils pourraient accomplir ensemble. Le Bonaparte et le *Romanov* rêvassaient de concert...

A Sainte-Hélène, l'Empereur déchu se souviendrait de cette complicité :

"*On se séparait donc immédiatement après le dîner, sous prétexte de quelques affaires chez soi ; mais Alexandre et moi nous nous retrouvions bientôt ensuite pour prendre le thé chez l'un ou chez l'autre, et nous restions alors à causer ensemble jusqu'à minuit et au-delà...*"

Fascinés l'un par l'autre, les deux jeunes empereurs refaisaient le monde, au propre et au figuré. Leurs relations seront par la suite ambiguës, souillées par les impératifs politiques et l'incompréhension mutuelle ; mais Tilsit était leur lune de miel.

"*Je n'ai rien aimé plus que lui*", dirait plus tard *Alexandre*, tandis que Napoléon, pourtant avare de ce genre d'aveu, confierait :

"*Il me plaisait et je l'aimais...*"

La sincérité de cette amitié ne pouvait être mise en doute, même si d'autres éléments concouraient à la stimuler. Un an plus tard, à Erfurt, Napoléon serait toujours dans les mêmes dispositions à l'égard d'*Alexandre* qui, lui, mentirait déjà.

l'Allemagne, l'Autriche, la Prusse, la Russie : toutes avaient été soumises ou vaincues et seule la Grande-Bretagne, préservée par son insularité, pouvait s'entêter dans un combat dont l'issue semblait désormais fixée. *Alexandre* avait 30 ans. Il était idéaliste et versatile,

La prise de Magdebourg, le 8 novembre 1806

L'écrasante victoire des Français contre Frédéric-Guillaume III à Iéna et Auerstaedt le 14 octobre démoralisa la résistance prussienne. Magdebourg succomba. L'armée triomphante, sous les ordres du maréchal Ney, entra dans la ville. Les Français firent 16 000 prisonniers et prirent 800 pièces de canon.

Gravure coloriée.
A Paris, chez Jean,
rue Jean de Beauvais, n° 10.

L'Empire en 1807

Ces quelques journées de juin 1807, où fut conclue l'alliance avec la Russie, marquaient l'apogée de la puissance napoléonienne. L'Empire s'agrandirait encore, remporterait de nouvelles guerres, mais les victoires seraient chaque fois plus difficiles à obtenir, et les conquêtes chaque fois un peu plus précaires.

Au nord, la Hollande était devenue royaume sous l'autorité de *Louis Bonaparte*, père du futur *Napoléon III*. La Belgique, la Flandre profitaient de l'essor économique du pays et du Blocus continental, qui interdisait la concurrence des produits britanniques.

A l'est, le Rhin n'était plus une frontière : celle-ci avait été repoussée jusqu'à l'Elbe. L'Allemagne était sous le contrôle des princes vassaux – Bavière, Westphalie (donnée à *Jérôme Bonaparte* en 1807), Saxe, etc. – et le duché de Pologne constituait un Etat-tampon avec la Russie.

Au sud, l'Italie française voyait sa carte simplifiée comme celle de l'Allemagne. Elle fut arbitrairement divisée en 15 départements. Le royaume d'Italie, lui, était constitué de 24 départements et sa capitale était à Milan où "régnait" un vice-roi, *Eugène de Beauharnais*. Le royaume de Naples, enlevé aux *Bourbons* qui s'étaient réfugiés en Sicile, était sous l'autorité de *Joseph Bonaparte* avant de passer sous celle de *Murat* en 1808.

Les lois françaises, et surtout le *Code*, furent appliquées dans tous les Etats soumis à l'influence française. Ces nouvelles habitudes juridiques permettaient d'effacer l'ordre ancien tout en homogénéisant l'administration de l'Empire.

La société changeait : ce n'étaient plus les nobles qui dominaient, mais les notables. Commerçants, hommes de loi, hauts fonctionnaires, appartenant tous à une bourgeoisie "propriétaire" qui profitait de l'essor économique, s'emparaient peu à peu de tous les rouages du pouvoir. Le *Code* avait été pensé pour eux et par eux, dont la principale caractéristique était de posséder les terres acquises souvent pendant la Révolution. La Constitution de l'an VIII elle-même leur réservait les charges publiques. Encore mal assuré pendant les années de la Révolution, le pouvoir de la bourgeoisie devait s'établir dans toute sa force sous le Consulat avant de s'amoindrir sous la dictature impériale. En l'an X

(1802), seuls les citoyens les plus imposés pouvaient être élus. L'Empire vit l'essor de l'administration et de ses bureaux, la formation de toute une classe de fonctionnaires tirant sa subsistance du service de l'Etat. Ce phénomène joua en défaveur des classes populaires, ouvriers et paysans. La mobilité sociale de la Révolution se ralentit, puis se figea. Devenue légendaire dans l'armée, où "chaque soldat avait son bâton de maréchal dans sa giberne" aux temps de la "Patrie en danger", l'ascension sociale n'était plus une réalité. Le simple soldat passait de moins en moins souvent officier.

Entrée triomphale de la Grande Armée dans Paris par la barrière de Pantin, le 25 novembre 1807

A part la Grande-Bretagne, la Russie demeurait la seule ennemie de l'Empire. La victoire d'Eylau, le 6 février 1807, puis de Friedland, le 14 juin, l'entrevue de Tilsit qui en découla, firent croire aux Français que, décidément invincibles, ils avaient enfin gagné... la paix. Ici, les Parisiens acclament le maréchal Bessières, à la tête de l'armée.

Nicolas-Antoine Taunay (1755-1830), salon de 1810. Musée du château de Versailles.

Parallèlement, on constatait la formation d'une caste proche de l'Empereur, la noblesse impériale, composée des maréchaux, des hauts dignitaires et de leurs familles. Ce sont eux qui recevaient en priorité les titres et les honneurs, ainsi que les richesses apportées par les conquêtes.

Le peuple, quant à lui, était sévèrement encadré. Perpétuellement menacé par la conscription, il devait se méfier des agents de *Fouché* qui contrôlaient au moins les grandes villes, des gendarmes, des hommes de la police secrète. Les prisons d'Etat, comme Vincennes, avaient été rétablies pour accueillir des suspects condamnés sur ordre impérial.

Aventurier de la Révolution, mais héritier de l'Etat capétien plus que des hommes de 1789, Napoléon Bonaparte régnait en maître sur le pays le plus puissant d'Europe. Seule l'Angleterre lui résistait encore, osant lui tenir tête dans le bras de fer engagé avec le Blocus continental. La nécessité vitale de parfaire ce Blocus serait à l'origine des fautes politiques commises après 1807.

Après Tilsit : 1808-1812

Une logique d'expansion

Comme d'autres vastes empires, celui de Napoléon était condamné à vaincre ou à périr. Sa création était de trop fraîche date pour assurer une cohésion véritable entre les différents peuples qui le composaient et ses alliés, vaincus de la veille, pouvaient se retourner contre lui au premier signe de faiblesse.

Le Blocus était le symbole de la lutte contre l'Angleterre, ce par quoi se définissaient les camps adverses. Aucune neutralité ne pouvait être tolérée ; quand, en 1810, le Tsar renoua avec la Grande-Bretagne pour sauver sa propre économie de la faillite, Napoléon sut qu'il avait en lui un ennemi potentiel de plus.

A son retour de Tilsit, l'Empereur des Français avait commencé à perdre son sens aigu des réalités. Tout lui obéissait, tout se conformait à ses volontés. Même les Anglais jouaient contre eux-mêmes, essayant d'intimider le Danemark en brûlant Copenhague, et incitant naturellement les Danois à leur fermer leurs ports par mesure de rétorsion. L'Autriche et la Prusse, intégrées au "système" napoléonien, durent rompre toutes relations diplomatiques avec Londres.

Un petit pays refusait pourtant de se soumettre à ce Blocus qui causerait sa perte : le Portugal, lié aux Anglais par des très anciennes relations politico-commerciales. Napoléon menaça d'annexer le fauteur de troubles qui créait une brèche dans son blocus ; l'Espagne accorda aux Français le droit de la traverser, et leur adjoignit même ses propres troupes. *Junot* passa les Pyrénées, fit sa jonction avec les Espagnols et démembra le Portugal (1807).

Pie VII, qui déclarait vouloir conserver une stricte neutralité, fut lui aussi bien vite spolié de ses Etats, avant d'être arrêté le 6 juillet 1809.

"*Ce n'est pas là un agrandissement de territoire*, assurait Napoléon, *c'est de la prudence.*"

L'histoire de l'Empire pourrait être résumée par la vieille maxime "*Si vis pacem, para bellum*" (Si tu veux la paix, prépare la guerre) ; on peut difficilement déterminer si les guerres décidées par l'Empereur étaient strictement offensives, ou si elles se contentaient de devancer l'ennemi… Mû par cette dialectique complexe, Napoléon ne pouvait pas ne pas songer à intervenir en Espagne à la première occasion. Les rapports qu'on lui faisait à propos de la situation intérieure de ce pays étaient de nature à le convaincre qu'il tomberait entre ses mains comme un fruit mûr.

L'Espagne était sur son déclin en cette année 1808. Sa grande époque coloniale, amorcée au XVIᵉ siècle, avait pris fin une vingtaine d'années auparavant. Son roi était *Charles IV*, un *Bourbon*, descendant du petit-fils de *Louis XIV, Philippe V.* Il aimait passionnément chasser, si passionnément que l'essentiel du pouvoir était concentré dans les mains de la reine, *Marie-Louise de Parme*, et du Premier ministre, *Godoy*, qui avait aussi des fonctions intimes auprès de la souveraine. Le ministre s'était fait décerner le titre de "prince de la Paix" après la signature, en 1795, de la paix de Bâle qui mettait fin à la guerre entre l'Espagne et la France révolutionnaire. Il avait orienté par la suite la politique étrangère espagnole vers un rapprochement avec la France. Le traité de San Ildefonse, en 1796, avait entériné sa volonté d'alliance.

Cette stratégie permit à *Godoy* d'envahir le Portugal avec la bénédiction de Napoléon, alors Premier Consul. Mais l'économie espagnole avait beaucoup souffert de la guerre, qui avait provoqué une longue interruption du commerce avec ses colonies. La rupture de la Paix d'Amiens, au printemps 1803, amena Godoy à rechercher une neutralité de bon aloi entre la France et l'Angleterre. Napoléon haussa le ton et *Charles IV*, effrayé, consentit à lui prêter sa flotte. Celle-ci fut en grande partie perdue à Trafalgar en 1805. La victoire anglaise, qui portait un coup fatal aux marines française et espagnole, convainquit *Godoy* que l'Empereur des Français courait à sa perte. C'était faire preuve d'une prescience politique à trop long terme. Les pourparlers entamés par le ministre avec les Britanniques furent brutalement interrompus après Iéna, et l'Espagne demeura l'alliée résignée, sinon fidèle, de l'Empereur.

Les *Bourbons d'Espagne* offraient la particularité singulière de se haïr mutuellement. Toute acquise à son amant *Godoy*, la reine voulait déshériter son fils aîné, le futur *Ferdinand VII*, qui lui-même demandait aux Français de l'aider à déposer son père, *Charles IV*, tandis que ce dernier s'adressait aussi à eux pour mater le prince.

L'Armée française traverse les défilés de la sierra Guadarrama en décembre 1808

L'intervention de l'Empereur en Espagne ne peut se résumer à la seule nécessité d'appliquer le Blocus continental à la lettre. Le "guêpier" espagnol fut, en fait, la première erreur stratégique de Napoléon. Cette conquête se faisait pour la dynastie des Bonapartes. Napoléon intervint personnellement en Espagne, quittant Paris le 29 octobre, reprenant Madrid le 4 décembre. Il y pratiqua une politique de réformes. Mais, malgré la menace anglaise sur ses communications, il dut retourner à Paris, du fait des intentions belliqueuses de l'Autriche. L'affaire d'Espagne allait s'enliser dramatiquement.

Nicolas Antoine Taunay, salon de 1812.
Musée du château de Versailles.

Napoléon resta d'abord indécis mais, encouragé par *Talleyrand* qui avait commencé à se détacher de lui, il commit l'erreur d'intervenir afin d'intégrer l'ensemble de la péninsule au système continental. Les *Bourbons* s'étant réconciliés, au moins en apparence, l'Empereur résolut de renforcer les troupes qu'il possédait déjà au-delà des Pyrénées. Conscients de la menace, *Charles IV* et les siens songèrent à s'enfuir dans leurs possessions d'Amérique, où ils se trouveraient hors d'atteinte des Français.

La population, alarmée de ces rumeurs de départ, s'en prit à *Godoy* qui détenait les fonctions de Premier ministre. Le roi d'Espagne démit son ministre afin de calmer les esprits, mais ce mouvement de foule hostile au favori de la reine n'était que la conséquence d'une inquiétude plus profonde. *Godoy* sauva miraculeusement sa vie, au milieu d'une effervescence qui ne pouvait plus être contenue. *Charles IV* crut que son abdication était devenue nécessaire, et se prépara à remettre le pouvoir à son fils *Ferdinand VII*.

Murat, qui s'avançait déjà vers Madrid, accéléra sa marche et refusa de reconnaître *Ferdinand VII*. La situation était des plus confuses. Napoléon cherchait à légitimer sa présence en Espagne en obtenant des *Bourbons* qu'ils lui cèdent leurs droits à la Couronne. Il proposa à *Ferdinand VII* de le rencontrer afin d'avoir une explication. Le prince se mit en route, désireux de défendre ses droits au trône, et prêt, s'il le fallait, à s'allier à l'Empereur.

Sa démarche ne fut pas du goût de *Charles IV* et de la reine ; craignant de voir Napoléon leur préférer leur fils, ils les rejoignirent tous deux à Bayonne avec *Godoy*. La scène fut pénible ; ayant renié son fils, le vieux roi, complètement manipulé par Napoléon, consentit à revenir sur son abdication pour nommer *Murat* son lieutenant-général.

L'Espagne semblait conquise.

C'était compter sans les Espagnols.

Fort de ses précédents succès, l'Empereur avait profondément sous-estimé la fidélité des Espagnols envers leur dynastie, même décadente. Le facteur religieux, intimement lié à la monarchie des *Bourbons d'Espagne*, avait lui aussi été négligé. Ces erreurs de perspective condamnaient l'entreprise espagnole dès ses premiers développements. La nécessité de se défendre contre l'agression française fit naître en Espagne un "intégrisme" religieux d'autant plus redoutable qu'il mêlait le politique au spirituel. Les Espagnols ne luttèrent bientôt plus contre un occupant, mais contre un hérétique. La guerre était devenue croisade.

L'intervention de Napoléon en Espagne ne peut se résumer à la seule nécessité de "régénérer" ce pays ou d'appliquer à la lettre le Blocus continental. Le "guêpier" espagnol était le premier dérapage de l'Empereur, la première guerre véritablement

Napoléon visitant l'infirmerie des Invalides, le 11 février 1808

La bataille d'Eylau en février 1807 avait inspiré à l'Empereur une émotion vraie devant le carnage. La guerre d'Espagne allait révéler les atrocités de la guérilla des partisans. Le temps des souffrances acceptées pour la patrie ou pour la gloire appartiendrait alors au passé.

Alexandre Veron-Bellecourt (1773 vers 1840), salon de 1812. Musée du château de Versailles.

"impériale" en ce qu'elle avait été décidée par l'Empereur pour des motifs personnels. Cette conquête se faisait par la France pour la dynastie des Bonapartes, et l'opinion publique ne l'admettait que très difficilement. Napoléon avait un jour confié à *Metternich*, parlant des *Bourbons* :

"Ce sont mes ennemis personnels ; eux et moi ne pouvons occuper en même temps des trônes en Europe".

Alexandre Ier ne parlerait pas autrement en 1813... L'intervention en Espagne pouvait se justifier par beaucoup d'arguments valables : la diplomatie hésitante de **Godoy**, qui avait failli trahir la France et que la bataille d'Iéna avait ramené dans le droit chemin, ne prêtait pas à confusion. L'Espagne n'étant pas une alliée sûre et ses souverains n'étant pas capables de gouverner, son intégration au système napoléonien devenait une nécessité.

Mais pourquoi détrôner *Charles IV* ? Pourquoi éliminer *Ferdinand VII* en l'envoyant à Valençay, chez *Talleyrand*, pour un exil doré ? Napoléon ne savait pas se concilier le Temps ; il était impatient de bâtir, en quelques années, un ordre européen susceptible de remplacer l'organisation qui avait prévalu jusqu'en 1789, et qui avait mis plusieurs siècles à s'instaurer. Continuant le rêve de *Louis XIV* et oubliant les vicissitudes de la Guerre de Succession, il avait décidé d'installer l'un de ses frères sur le trône espagnol, faisant de l'ancien pays de *Charles Quint* un domaine "familial".

Ce fut, sans doute, l'origine de son échec en Espagne.

Le 2 mai, Madrid se soulevait contre les Français et massacrait tous les isolés. Napoléon jeta le masque et répondit coup pour coup : il n'était plus question de gouverner l'Espagne sous le couvert d'un roi fantoche. Terrorisé, *Charles IV* abdiqua sans conditions en faveur de l'Empereur. *Murat* était entre-temps parvenu à rétablir un semblant d'ordre. Napoléon l'envoya régner sur Naples, tandis que *Joseph* recevait l'Espagne. C'était un cadeau empoisonné.

Tout le pays fut bientôt contaminé par la rébellion ; exaltés par les ecclésiastiques qui leur prêchaient la croisade contre "l'Antéchrist", riches et pauvres se révoltèrent contre le conquérant français. Paysans et artisans s'initièrent au maniement des armes, encadrés par les soldats de l'ancienne armée espagnole. Les grandes villes se soulevèrent après Madrid, telles Oviedo ou Saragosse, bientôt suivies par des provinces entières (Galice, Catalogne). Soutenue et inspirée par les Anglais, la résistance s'organisa sous la forme d'une *junte* nationale, installée à Séville puis à Cadix. La guerre durerait longtemps, contraignant Napoléon à y envoyer des troupes qui lui manqueraient cruellement par la suite.

L'insurrection gagna alors le Portugal, où venait de débarquer *Arthur Wellesley*, futur *duc de Wellington*. La guerre prenait une dimension tout à fait différente des précédentes ; des troupes aguerries et disciplinées se trouvaient sans recours devant l'explosion de haine d'une population exaspérée par les exactions des conquérants. *Junot* fut débordé par la population en armes et dut se soumettre aux Anglais. A Baylen, à Vimeiro, les armées françaises furent vaincues par des

patriotes espagnols ou par les Anglais. Le Portugal dut être évacué en totalité, tandis que l'annonce des revers français rendait espoir aux adversaires de Napoléon en mettant fin au mythe d'invincibilité de ses soldats. Le coup porté à l'Empire était considérable, tant sur le plan tactique qu'au niveau du moral de ses partisans. Même les alliés de l'Empereur, défavorables pour la plupart au renvoi des *Bourbons*, commençaient à se remettre en cause. Conscient de sa perte de prestige, Napoléon entra dans une violente colère et promit :

"*L'Espagne sera reconquise en automne !*"

Mais avant l'automne, il y aurait Erfurt…

Erfurt et son "parterre de rois", où *Talleyrand* commença de trahir son ancien complice de Brumaire.

"*Le Rhin, les Alpes et les Pyrénées sont la conquête de la France*, disait le dignitaire impérial au Tsar ; *le reste est la conquête de l'Empereur. La France n'y tient pas…*"

Fouché s'était rapproché de l'ancien ministre des Relations extérieures devenu Grand Chambellan. Tous deux s'inquiétaient de voir les proportions que prenait l'Empire. Approchant quotidiennement leur maître, ils avaient compris que rien ne pourrait plus arrêter sa fringale de nouvelles conquêtes. Son despotisme et son intervention en Espagne qui avait – outre le Blocus – comme seule justification l'annexion d'une nouvelle couronne à la famille Bonaparte, excitaient le ressentiment de l'opinion publique.

Napoléon avait besoin de retirer la Grande Armée d'Allemagne pour sa campagne d'Espagne, mais il se méfiait trop de l'Autriche pour la laisser sans gardien. Il avait pensé que son "cher" allié russe pourrait remplir cet office, et avait souhaité le rencontrer pour confirmer leur entente. L'entrevue avait été conçue comme une occasion supplémentaire de réaffirmer l'autorité française en Allemagne.

La lune de miel franco-russe s'était fragilisée du fait de quelques contentieux insolubles dont le plus lourd était Constantinople, que Napoléon ne voulait surtout pas donner au Tsar en cas de partage de l'Empire ottoman. Une expédition commune, prévue pour le printemps 1808, avait été ajournée à cause de l'affaire espagnole. Impatient, le Tsar attendait de pied ferme que son allié voulût bien renouveler ses offres. D'une certaine manière, la guerre d'Espagne fut à l'origine de la rupture entre Napoléon et *Alexandre*.

Joseph Fouché, duc d'Otrante, ministre de la Police générale

Formé à l'Oratoire, il n'a jamais été prêtre. Député de la Loire-Inférieure à la Convention en 1792, il y vote la mort de Louis XVI. Il fait mitrailler les insurgés royalistes lyonnais, joue un rôle déterminant le 9 thermidor, mais est écarté par la réaction. Il devient ministre de la Police du Directoire le 20 juillet 1799. Le 18 brumaire, il lâche Barras en faveur de Bonaparte et devient le ministre de la Police du nouveau régime, jusqu'en 1802, à la suppression du poste. Le ministère est rétabli en 1804, à son profit. Ce régicide voit sa situation devenir intenable après le mariage autrichien et il est remplacé par Savary en 1810.

Edouard-Louis Dubufe (1820-1883).
Musée du château de Versailles.

En détournant l'Empereur de ses conquêtes orientales, cette guerre causait une profonde déception au Tsar et amenait celui-ci à se désolidariser du destin de son allié français.

La pierre d'achoppement de Constantinople montrait en outre aux deux partis que l'autre était de trop en Europe, attisant une sourde hostilité entre eux. Mais personne ne désirait la guerre en 1808 : Napoléon parce qu'il s'embourbait en Espagne, et *Alexandre* parce qu'il était convaincu de la solidité de la puissance de son rival.

Talleyrand changea ses plans à Erfurt, en lui ouvrant les yeux et en lui faisant habilement miroiter ce rôle de "libérateur" de l'Europe pour lequel il s'enflammerait tant. L'Empereur arriva à Erfurt à la fin de septembre, comptant sur son charme pour séduire *Alexandre* et sur *Talleyrand* pour s'occuper de ses ministres. Mais *Alexandre*, qui n'était pas dans d'aussi bonnes dispositions qu'à Tilsit (les circonstances avaient changé), ne se laissa pas envoûter comme un an auparavant. En accord avec l'Autrichien *Metternich, Talleyrand* se chargeait de détruire, le soir, l'ouvrage qu'avait fait Napoléon dans la journée.

Aiguillonné par l'ancien évêque d'Autun, le Tsar refusa de jouer le rôle de "gardien" de l'Autriche et, tout sourire, se mit à rêver à un avenir dont Napoléon serait exclu. Rassurée quant à la neutralité russe, Vienne put commencer ses préparatifs de guerre pour entrer en campagne au printemps 1809.

En quittant Erfurt sur cette défaite diplomatique, Napoléon savait qu'il pouvait s'attendre à devoir bientôt combattre sur le Danube. Tout se jouerait dans la rapidité des opérations d'Espagne. L'Empereur quitta Paris le 29 octobre et reprit Madrid le 4 décembre, après avoir bousculé les Espagnols à Somosierra. Afin de s'attirer la sympathie des Libéraux et des classes autrefois favorables aux Français, Napoléon entreprit alors de réaliser quelques réformes : suppression de l'Inquisition, des droits féodaux, d'un tiers des couvents… La campagne avait été rapide, mais moins brillante que les autres : le moral des troupes était bas, et des refus d'obéissance furent constatés ; les rivalités entre les chefs militaires avaient eu pour conséquence de permettre à l'ennemi de s'enfuir sans grand dommage.

Le 19 décembre, Napoléon apprit que les Anglais menaçaient la route de Madrid à Burgos, c'est-à-dire les communications avec la France. Il se mit en route afin de les surprendre mais, averti des intentions belliqueuses de l'Autriche, il dut repartir pour Paris en laissant ses troupes sous le commandement de *Soult*.

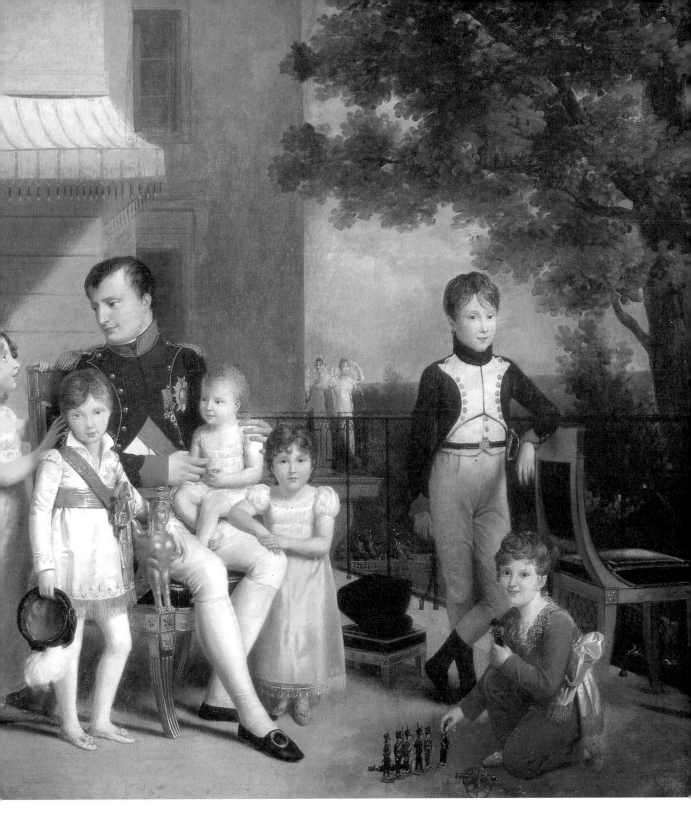

D'autres rumeurs inquiétantes légitimaient son retour : comme à la veille de Marengo, *Talleyrand* et *Fouché* avaient "préparé" son éventuelle succession en pressentant *Murat*… Il se promettait bien de les remettre au pas.

L'affaire d'Espagne, qui n'avait pu être "réglée" dans les temps, s'enliserait et aurait des conséquences catastrophiques sur la destinée de l'Empire. Les provinces révoltées continueraient de commercer avec l'Angleterre, tandis que les colonies espagnoles d'Amérique s'ouvriraient à ses produits. Un pamphlet de l'époque déclarait ironiquement que le Blocus aurait pu être efficace si "*dans le temps même où le gouvernement français prenait des mesures si violentes pour* fermer aux Iles britanniques les marchés de l'Europe, il n'en avait pas prises de plus violentes encore pour leur ouvrir ceux de l'Amérique méridionale".

Le retour de l'Empereur à Paris, le 23 janvier 1809, fut marqué par la scène célèbre du 28, au cours de laquelle il lança à *Talleyrand* :

"*Vous êtes un voleur, un lâche, un homme sans foi. Vous ne croyez pas en Dieu, vous avez trahi tout le monde, il n'y a rien pour vous de sacré [...] Tenez! Vous êtes de la merde dans un bas de soie !*"

A cette définition somme toute assez justifiée de sa personne, *Talleyrand* opposa sa froide indifférence, se contentant de conclure en soupirant :

"*Quel dommage qu'un si grand homme soit si mal élevé !*"

Napoléon commit alors une erreur fatale : au lieu de se débarrasser de ce complice qui l'avait trahi, il le priva seulement de sa charge de Vice-Grand-Electeur ("*le seul vice qui lui manquât*", aux dires de l'ami *Fouché*...). Cette attitude étrange perdurerait jusqu'en 1814 : considérant *Talleyrand* comme indispensable à la bonne marche de ses affaires, l'Empereur l'insulterait et l'humilierait sans jamais parvenir à le fusiller pour haute trahison. Générosité bien mal placée : un jour, ce serait *Talleyrand* qui signerait l'acte mettant fin à l'Empire...

En attendant ce crépuscule, Napoléon dut se résoudre à aller combattre l'Autriche qui, malgré ses avertissements, croyait son heure venue. La situation de l'Empereur était effectivement assez précaire, ses meilleures troupes engluées en Espagne, l'Allemagne regimbant sous le joug et la Russie se cantonnant dans une neutralité plus ou moins hostile. Pour la quatrième fois, Bonaparte allait jouer son destin à quitte ou double.

Le 10 avril 1809, l'*archiduc Charles* entrait en territoire bavarois. Le 17, Napoléon était à Donauwerth et galvanisait ses hommes un instant désemparés. La Grande Armée était cette fois majoritairement composée de conscrits qui ne s'étaient jamais battus et il fallait les aguerrir avant de songer à livrer la bataille décisive. L'*archiduc Charles*, qui espérait vaincre séparément *Davout* et *Masséna*, dut battre en retraite en Bohème après sa défaite d'Eckmühl.

Les nouvelles étaient mauvaises partout ailleurs : les Autrichiens avaient bousculé le *prince Eugène* en Italie et pris Varsovie sans que le Tsar ne s'en émeuve ; le Tyrol s'était insurgé et l'Allemagne grondait. L'Angleterre ne restait pas inactive : en mai, *Wellington* reprenait Porto et chassait *Soult* de Galice, tandis que, le 29 juillet, un corps expéditionnaire débarquait – sans suites – en Hollande dans l'île de Walcheren. L'action de *Fouché*, qui mobilisa les énergies et organisa la défense, fut décisive ; mais l'Empereur prit ombrage d'avoir été "remplacé" par son ministre de la Police, et le disgracia peu après.

Cependant, le 10 mai, Napoléon s'était installé à Schönbrunn. Vienne capitula le 13. Quelques jours plus tard, *Lannes* était mortellement blessé à Essling et les Français devaient repasser le Danube. Finalement, ce fut la bataille de Wagram, remportée le 6 juillet, qui décida du sort de la campagne. Les Autrichiens proposèrent la paix au vainqueur qui n'était pas en mesure de la refuser, préoccupé par les affaires d'Espagne et l'attitude par trop ambiguë de la Russie.

Cette guerre de "*destruction*" promise par Napoléon à l'Autriche se finirait par un mariage. A Erfurt, *Alexandre* était resté très vague quant à la possibilité d'une union dynastique entre la France et la Russie. Or il était indispensable à Napoléon d'avoir un héritier et *Joséphine*, malgré tous ses efforts, s'avérait à présent désespérément stérile.

Un personnage apparut alors au premier plan de la scène diplomatique : *Metternich*. Ce prince, d'origine rhénane, avait fait ses classes en Saxe et à Berlin, puis il avait été envoyé à Paris en 1806 comme ambassadeur d'Autriche. Pendant trois ans, il avait pu rencontrer Napoléon, lui parler et se faire une idée précise de sa personnalité et de sa psychologie. C'étaient-là des atouts maîtres dans la périlleuse partie que devait jouer l'Autriche.

Metternich comprit très vite le parti qu'il pourrait tirer de la volonté de l'Empereur de se remarier. Une union avec l'une des filles de *François Ier*, l'*archiduchesse Marie-Louise*, empêcherait le renforcement toujours possible de l'entente entre Napoléon et *Alexandre*. Celui-ci, auquel on demanda la main de sa sœur, répondit par un refus. Le même jour, 7 janvier 1810, la main de *Marie-Louise* était accordée à "l'Ogre de Corse".

Le prince Clément-Wenceslas-Lothaire de Metternich-Winnebourg

Né à Coblence, le 15 mai 1771, il dut ses premières protections dans le monde à sa mère, une proche de la grande impératrice Marie-Thérèse. Il reçut la meilleure éducation française, et assista, étudiant à Strasbourg, aux désordres de la Révolution. Convaincu de l'invincibilité de Napoléon jusqu'à la lecture du 29e Bulletin de la Grande Armée, avouant l'importance réelle du désastre de la retraite de Russie, il voulut placer l'Autriche dans un rôle de médiateur dans une future paix de compromis, puis se décida à passer de la neutralité armée au rôle de partenaire dans la grande coalition européenne. Comte, il fut élevé à la dignité de prince après Leipzig. Il conçut toujours pour Napoléon des sentiments mêlés de haine et d'admiration.

Pages suivantes
Marie-Louise et Napoléon le Grand

Par ce mariage, Napoléon devenait... le neveu par alliance de Louis XVI. La monarchie habsbourgeoise paraissait un point d'appui non négligeable pour l'édifice napoléonien. De son côté, l'Autriche gagnait les années nécessaires à son retour sur la scène. L'ambiguïté régnait en maître.

Dessiné par Bourdon, d'après le buste de F. Bosio, gravé à l'eau-forte par Queverdo et Peronné par Pigeot. A Paris, chez Ostervald l'aîné, Editeur, rue de la Parcheminerie n° 2 et chez Palmer, au Museum Waterloo, à Londres.

K. Garnier

Lith. de Fonrouge.

MARIE LOUISE,

Impératrice des Français, Reine d'Italie, et protectrice de la Société maternelle de l'Empire.

NAPOLÉON LE GRAND,

*Empereur des Français, Roi d'Italie
et protecteur de la Conféderation du Rhin &.*

C'était un habile sacrifice pour l'Autriche qui gagnait ainsi les quelques années de répit nécessaires à son redressement, tout en creusant le fossé séparant Paris de Saint-Pétersbourg. La paix signée avec la France, qui lui enlevait l'Illyrie, une partie de la Galicie et l'obligeait à réduire son armée de moitié, ne pouvait être que provisoire. Le **Habsbourg** savait qu'il reprendrait la lutte tôt ou tard, quand l'aigle russe serait déterminé à lui apporter son aide. En attendant, la politique autrichienne donnerait le change en se montrant résolument pro-française.

Napoléon, lui, entrait dans le cercle restreint des familles souveraines d'Europe… et devenait le neveu par alliance du roi **Louis XVI**, ce qui suscita l'inquiétude de la population étonnée de voir son monarque, vingt ans après la prise de la Bastille, renouer avec l'Ancien Régime. Mais héritier couronné de la Révolution, Napoléon ne l'avait-il pas trahie depuis la fin du Consulat ?

Cette politique du "renversement des alliances", inaugurée par **Louis XV** au milieu du XVIIIe siècle, semblait encore la meilleure à adopter dans la situation périlleuse où se trouvait l'Empire. Le maître de l'Europe avait pu constater, pendant la campagne de 1809, combien l'Autriche était forte et surtout politiquement stable. Dans l'univers mouvant des alliances conclues à contrecœur et des peuples soumis par les armes, la monarchie habsbourgeoise paraissait être un point d'appui non négligeable pour l'édifice napoléonien.

Le 20 mars 1811, la naissance de *"l'Aiglon"* confortait la pérennité de la dynastie. L'enfant reçut immédiatement le titre de *"Roi de Rome"*, par référence à celui de "roi des Romains" autrefois porté par l'héritier du Saint Empire. L'orgueil de Napoléon était à son zénith ; ses frères et sœurs régnaient sur l'Europe, et l'Empereur disposait d'eux comme d'autant de marionnettes. A **Louis**, qui se faisait plus hollandais que français, il confisqua purement et simplement son royaume, privant aussi **Joseph** des provinces septentrionales de l'Espagne. Rien ne semblait pouvoir résister à la volonté de l'Empereur. Même l'orgueilleuse Angleterre était au bord de la ruine en cette année 1811, victime d'une crise économique sans précédent. L'Empire de Napoléon n'était plus seulement français. Déjà il songeait à régner sur une confédération d'Etats européens unis sous un même sceptre : le sien.

Un danger menaçait cependant ce rêve : la Russie, qui ne parvenait plus à dissimuler son hostilité. Tilsit avait été l'œuvre d'**Alexandre**, mais la haute société russe, plus anglophile que le Tsar, ne l'avait pas suivi. Avec le temps, celui-ci s'était vexé d'être perpétuellement le second en Europe. Napoléon lui faisait de l'ombre et il ne le supportait pas. Les conseils de **Talleyrand**, à Erfurt, lui avaient prouvé que l'autorité de son rival n'était pas aussi bien assurée qu'il ne l'avait pensé. Et puis, le contentieux de Constantinople pesait toujours lourdement dans les relations entre les deux empereurs. **Alexandre** avait fini par se persuader que tout accord conclu avec Napoléon tournerait à son désavantage. C'était entrer dans une logique de guerre.

Le Tsar n'était pas fou et il se gardait bien de provoquer explicitement la France. Toutefois, son attitude lors de la campagne de 1809 et son respect de moins en moins convaincu du Blocus avaient vite provoqué un rafraîchissement manifeste des relations entre Paris et Saint-Pétersbourg. Comme avec **Talleyrand** et malgré ces signes troublants, Napoléon restait prisonnier de l'amitié qu'il portait au Tsar depuis Tilsit. Il croyait sincèrement que celle-ci était trop réciproque pour qu'un arrangement fût encore impossible.

Au début de 1812, enfin conscient de la détérioration de la situation, l'Empereur travailla à nouer des alliances en vue d'une guerre. Si la Turquie et la Suède s'y refusèrent obstinément, la Prusse et l'Autriche acceptèrent de le suivre bon gré mal gré. Mais la participation des deux Etats "alliés" serait suffisamment timide pour être inutile à la Grande Armée. Bien que signataire du traité de mars 1812 liant l'Autriche à la France, **Metternich** ne manqua pas d'avertir le Tsar de ses bonnes dispositions à son égard.

Afin de tenir **Alexandre** en respect et de l'obliger à réviser ses conceptions en matière de politique étrangère, Napoléon constitua en Allemagne une armée de près de 700 000 hommes dont la moitié seulement étaient français. Le 25 avril 1812, le Tsar envoya un ultimatum à son ancien "ami" de Tilsit. Contraint à une guerre qu'il n'avait pas vraiment souhaitée, l'Empereur franchit le Niémen le 24 juin à la tête de ses armées.

Peut-être espérait-il vraiment que ce serait la dernière. Et effectivement, les cendres de Moscou furent sa dernière conquête…

Le Roi de Rome
Né le 20 mars 1811, l'enfant reçut aussitôt le titre de "Roi de Rome". La dynastie des Napoléonides semblait sauvée.

Esquisse par Jean-Baptiste Isabey (1767-1855), daté 1811.

Les faiblesses du "système" napoléonien

Au moment où Napoléon s'enfonçait dans les steppes russes, son immense Empire n'avait plus que deux ans à vivre. Pourquoi ce "colosse aux pieds d'argile" était-il en définitive si fragile, et si dépendant des succès militaires de son maître ?

De nombreuses lézardes étaient apparues dans l'édifice, tant à l'intérieur qu'à l'extérieur. On a vu que des dignitaires comme *Talleyrand* n'avaient pas hésité à verser dans la trahison dès 1808 (et peut-être même 1807); *Fouché* s'était rendu indispensable, mais il était au service de l'Etat policier de ses rêves plutôt qu'à celui de Napoléon. Enrichis par leurs précédentes campagnes, gorgés de titres et repus d'honneurs, les jeunes officiers de la Campagne d'Italie devenus maréchaux d'Empire aspiraient à profiter en paix de leurs vieux jours. Tous ces hommes qui avaient puissamment contribué à la création de cette Europe "napoléonienne" par leur énergie et leur ambition avaient perdu le goût des aventures. Napoléon lui-même se sentait décliner physiquement, moins prompt à prendre les décisions fulgurantes qui avaient tant servi son génie, moins résistant à endurer les fatigues de la guerre.

Les héros étaient devenus goutteux.

Les populations soumises au joug français, et les Français eux-mêmes, étaient las de ces conflits perpétuels et sanglants où allait se faire massacrer toute leur jeunesse. Les réfractaires à la conscription étaient de plus en plus nombreux, bénéficiant de solides complicités dans leurs villages ou leurs régions natales. L'économie s'essoufflait aussi, grippée par les effets secondaires du Blocus qui avait paralysé le circuit maritime des échanges commerciaux. Les impôts, trop lourds du fait des campagnes successives, étaient de plus en plus rejetés par une bourgeoisie privée du rôle politique auquel elle avait aspiré sous la Révolution. Payant cher une gloire dont elle ne recevait aucune contrepartie, l'élite des "notables" ne parlait que de faire la paix avec les ennemis de la France qui, dans sa bouche, devenaient plutôt les ennemis de l'Empereur.

Mal géré, le conflit avec la Papauté avait évolué au détriment des intérêts de Napoléon. L'emprisonnement de *Pie VII* à Savone était le symbole du caractère oppressif du régime impérial, et le signe d'une profonde fracture entre les fidèles et l'Empereur. L'esprit du Concordat de 1801, sur lequel Napoléon avait assis les bases de sa grandeur, était mort et provoquait l'effritement de ces mêmes bases.

L'entourage même de l'Empereur était un ferment de fragilité pour le régime impérial. Hormis les ministres, qui n'étaient plus que des "gestionnaires" asservis aux vues du monarque et sans opinions politiques personnelles, la nouvelle noblesse impériale rappelait trop l'ancienne aux vieux révolutionnaires de 1789. Les plus grands noms de l'ancienne monarchie se mêlaient à ceux des dignitaires issus du peuple, formant une nouvelle caste de privilégiés qui n'avait rien appris des années terribles.

Les affaires extérieures étaient inquiétantes. L'Espagne continuait, depuis trois ans, à dévorer les meilleures troupes de la Grande Armée. Le "guêpier" espagnol fonctionnait à plein, militairement et surtout psychologiquement, en faveur des Anglais et des adversaires de Napoléon. Le succès de la guérilla populaire appuyée par *Wellington* échauffait les esprits dans d'autres pays avides de recouvrer leur liberté, et en Allemagne en particulier.

La Prusse et les princes satellisés travaillaient dans l'ombre à une insurrection générale. L'Autriche avait donné l'une de ses archiduchesses pour ne pas se donner elle-même, et menait une politique complexe, faite de protestations d'amitié sans lendemain et de trahisons lourdes de conséquences.

Le Blocus, qui avait failli mettre l'Angleterre à genoux, avait été rompu par *Alexandre* à la fin de décembre 1810. Napoléon avait perdu sa plus grande bataille, celle qui lui avait coûté le plus cher en hommes et en efforts : l'Angleterre ne céderait plus. Dès lors, la chape de plomb qui pesait sur les économies nationales n'avait plus lieu d'être, et la destruction de l'Empire serait bientôt regardée comme une lutte nécessaire et vitale.

D'impopulaires, Napoléon et son "système" devenaient haïs. L'invasion de la Russie était une fuite en avant, le dernier grand pari de l'aventure napoléonienne. Victorieux, l'Empereur contraindrait la Russie à restaurer le Blocus et l'Angleterre, étouffée, devrait évacuer l'Espagne. Vaincu, il devrait abandonner l'initiative à ses ennemis.

Le 24 juin 1812, Napoléon franchissait le Niémen comme autrefois *César* le Rubicon. Mais le glorieux soleil d'Austerlitz serait remplacé par celui, pâle et glacial, de l'hiver russe.

Redingote de Napoléon, en piqué blanc

La classique redingote grise de l'Empereur connaissait des variantes. Ici, une redingote blanche, dont le caractère fantomatique inspire de manière troublante l'idée de linceul, celui de cette terrible retraite de Russie, où tant d'hommes disparurent dans les steppes glacées.

Musée de La Malmaison.

95

La fin des Temps épiques : 1812-1815

Les premiers revers : 1812-1813

La Campagne de Russie : 1812

La Grande Armée avait perdu un mois à se rassembler en Allemagne avant de pouvoir passer à l'attaque. Ces quelques semaines allaient gravement lui manquer par la suite.

L'objectif de Napoléon en entrant en Russie n'était sans doute pas de l'anéantir, mais de contraindre le Tsar à traiter après lui avoir infligé une défaite rapide et décisive. La fin de la campagne étant prévisible en automne, il n'y avait théoriquement rien à redouter de l'hiver russe.

Or *Alexandre* se déroba. Il savait très bien que ses forces étaient largement inférieures à celles des envahisseurs et que ses meilleurs généraux, *Bennigsen* et *Koutousov*, étaient momentanément écartés du commandement. Sa force résidait dans l'étendue de son pays et dans l'opiniâtreté avec laquelle les Russes défendraient leur sol. A maints égards, c'est en 1812 que naquit la conscience nationale de la Russie moderne. Ses habitants se découvrirent solidaires contre les armées napoléoniennes et les combattirent ensemble, sous la lointaine égide du Tsar.

Celui-ci se savait assez piètre stratège pour avoir la sagesse de rester à Saint-Pétersbourg, à se ronger les sangs d'inquiétude tandis qu'œuvraient ses généraux. S'il avait d'ailleurs eu quelques velléités de prendre le commandement de ses troupes aux débuts de la campagne, la réaction défiante de celles-ci l'en avait vite dissuadé.

Napoléon fut vite désemparé par l'absence de résistance des Russes, qui le laissèrent entrer sans combat dans Vilna. Le *général Balachov* le rejoignit alors qu'il y installait ses quartiers, afin de l'espionner et de sonder ses intentions. L'émissaire d'*Alexandre* affirma qu'il était encore temps de traiter, si l'Empereur repassait le Niémen avec tous ses hommes. Napoléon ne pouvait se permettre de reculer ainsi :

son prestige aurait été gravement atteint et les pays vassaux, maintenus à grand-peine dans sa sujétion, y auraient trouvé l'occasion de se soulever.

Le conquérant proposa alors de négocier sur des bases acceptables : *Alexandre* ne voulait-il pas consentir à l'aider contre l'Angleterre comme au temps de Tilsit ? *Balachov* ne répondit pas. Et comme Napoléon lui demandait le chemin de Moscou, l'ambassadeur rétorqua avec superbe :

"Sire, on prend comme on veut la route de Moscou. Charles XII avait pris par Poltava."

Allusion à la victoire de *Pierre le Grand* sur le roi de Suède, un siècle auparavant…

Deux semaines supplémentaires furent perdues à Vilna pour rassembler l'immense armée éparpillée dans la steppe. Les déserteurs étaient déjà très nombreux. A Vitebsk, où elle arriva fin juillet, la Grande Armée comptait 150 000 hommes de moins, pour la plupart égarés, malades ou déserteurs puisque les rares combats n'avaient été que des accrochages très limités.

Ne pouvant reculer, Napoléon était attiré vers l'intérieur du pays par la fuite des généraux russes. Leur stratégie était claire : ils voulaient l'éloigner suffisamment de ses bases pour affamer ses troupes et ne leur livrer combat qu'après les avoir épuisées par la famine et par les marches. Même si le "parti de la résistance" grossissait dans les cercles dirigeants russes au fur et à mesure que l'envahisseur s'approchait de Moscou, les partisans de la politique de la "terre brûlée" restaient majoritaires. Et l'Empereur constatait tristement :

"Le péril même nous pousse vers Moscou ! J'ai épuisé les objections des sages..."

Les généraux russes durent enfin se résoudre à affronter Napoléon pour protéger Moscou. Les deux armées se trouvèrent au contact à Borodino où *Koutousov*, le nouveau général en chef, s'était solidement retranché. Les Français accueillirent le moment du combat avec soulagement : tout plutôt que cette perpétuelle fuite en avant ! Le 7 septembre 1812 eut lieu la bataille de Borodino, ou de la Moskova. Napoléon, malade et plus anxieux que jamais, ne se montra pas au mieux de son génie ; la Grande Armée ne resta maîtresse du champ de bataille qu'au prix de très lourdes pertes. La route de Moscou était ouverte, mais *Koutousov* avait pu faire retraite en bon ordre et ses forces demeuraient considérables.

Le 14 septembre, les Français entraient dans Moscou.

Napoléon allait s'attarder un mois dans la ville russe incendiée aux trois quarts sur l'ordre du **gouverneur Rostopchine**. Il attendait qu'*Alexandre* voulût bien répondre à la proposition de paix qu'il lui avait adressée. Mais le Tsar, ulcéré et en proie à l'une de ses crises mystiques, se refusait à entrer en pourparlers avec "l'Antéchrist".

"*Il faut*, déclarait-il, *que l'un ou l'autre disparaisse de la scène du monde...*"

Le 19 octobre, inquiet de voir arriver l'hiver et craignant d'être isolé dans l'immensité de la steppe, l'Empereur quittait Moscou pour revenir sur ses bases de départ. La prise de la grande ville russe lui permettait au moins d'avoir sauvé la face aux yeux de ses sujets, même si le résultat s'avérait douteux en termes stratégiques. *Koutousov* manœuvra alors pour obliger les Français à reprendre la même route qu'à l'aller, cette route de Smolensk déjà dévastée par leur passage.

Alourdis de butin, sans vivres ni vêtements capables de les aider à supporter le froid intense, les soldats de la Grande Armée durent revenir sur leurs pas, harcelés par les cosaques et les paysans russes. Sur ces entrefaites parvint à Napoléon la nouvelle de la conspiration du **général Malet**, qui avait failli prendre le pouvoir à Paris en faisant croire à sa mort. L'Empereur put mesurer avec effroi la fragilité de son pouvoir et les conséquences politiques possibles du désastre de Russie. Les 27, 28 et 29 novembre, le passage de la Bérézina marquait l'ultime catastrophe de cette campagne.

Le 3 décembre, à Molodetchna, fut émis le *29ᵉ Bulletin de la Grande Armée* par lequel Napoléon avouait être la victime d'une "*atroce calamité*". Prévoyant l'émotion que causerait la nouvelle dans tout l'Empire, il se résolut à abandonner ses hommes à leur triste sort pour rentrer au plus vite à Paris afin de raffermir son pouvoir chancelant. Ce fut l'épisode rocambolesque du retour en traîneau en compagnie de *Caulaincourt*.

Lorsqu'ils arrivèrent en terre prussienne, Napoléon se tapit au fond de peur d'être reconnu et fait pri-

sonnier. Le 18 décembre, tous deux parvenaient enfin aux Tuileries, épuisés, sales, méconnaissables mais sains et saufs. Le conquérant vaincu, le fugitif d'Allemagne redevenait le maître de l'Europe.

Mais pour combien de temps ?

La défaite avait eu des conséquences désastreuses en termes de prestige, d'hommes et de matériel. L'Empire avait perdu en quelques mois la plus grande part de sa force offensive. D'autres armées seraient levées, d'autres batailles livrées, mais il manquerait toujours quelque chose à l'Empereur pour transformer des victoires ponctuelles en déroutes ennemies. La campagne d'Allemagne serait cruellement marquée par l'absence de cavalerie et la pénurie d'artillerie.

En apparence tout au moins, rien n'était vraiment perdu en cette fin de décembre 1812. Les possessions impériales n'avaient pas souffert de la guerre, et l'autorité de l'Empereur demeurait en principe incontestée des Pyrénées à l'Elbe. L'Espagne et le Portugal s'agitaient toujours, sans que les troupes de **Wellington** puissent prendre un avantage décisif. Mise à part la Prusse, Napoléon dominait toute l'Allemagne par le biais de ses alliances et de ses forteresses ; l'Autriche était unie à la France par un lien dynastique qu'elle ne romprait certainement pas volontiers.

"*J'ai commis une grave erreur*, disait l'Empereur à ses ministres, *mais j'ai les moyens de la réparer.*"

Une nouvelle levée fut effectuée pour remplacer intégralement l'armée perdue en Russie. Face à ces troupes fraîches mais peu aguerries, au nombre théorique de 650 000 hommes, *Alexandre* n'avait à opposer que les soldats épuisés de la campagne qui venait de s'achever, commandés par des généraux hésitant à s'aventurer hors de leurs frontières et ne partageant pas la conception mystique qu'avait le Tsar de sa mission de "libérateur de l'Europe".

L'Angleterre était encore trop faible pour soutenir *Alexandre* autrement que par ses "subsides". Une guerre contre les Etats-Unis la contraignait de plus à envoyer outre-Atlantique des forces qui auraient été précieuses en Espagne. Tout le poids de la guerre reposerait sur la Russie si celle-ci décidait de poursuivre son avantage en marchant vers l'Ouest.

La campagne d'Allemagne et l'attitude de l'Autriche décideraient du destin de l'Empire.

Pages suivantes
La bataille de la Moskova, le 7 septembre 1812, seconde attaque de la grande redoute

Après avoir fui jusqu'aux portes de Moscou, les généraux russes durent se résoudre à affronter l'Empereur. Les deux armées se trouvèrent à Borodino, où Koutousov s'était retranché. Le combat s'engagea. Napoléon, malade, ne réussit à l'emporter qu'au prix de très lourdes pertes et, si la route de Moscou était ouverte, le Russe s'était replié en bon ordre. Rien n'était décidément encore joué.

Baron Louis-François Lejeune (1775-1848), daté 1822, salon de 1824.
Musée du château de Versailles.

La Campagne d'Allemagne : 1813

Le premier acte de cette campagne fut la défection du *général* prussien *York*, qui passa au service du Tsar par la convention de Tauroggen du 30 décembre 1812. Officiellement mû par sa seule volonté, il agissait en réalité selon les instructions verbales que lui avait communiquées *Frédéric-Guillaume III de Prusse*. Ce roi timide et soumis s'efforçait d'avoir un pied dans chaque camp.

Ses serments de fidélité à Napoléon se perdirent rapidement dans l'immense tourmente de la "Guerre de libération" allemande, inspirée par des penseurs et des politiciens comme *Fichte, Gneisenau, Hardenberg* ou le *baron de Stein*. Voyant d'autre part que les débris de la Grande Armée n'étaient pas en mesure de résister au déferlement des Russes, *Frédéric-Guillaume* entra en pourparlers avec le Tsar pour négocier son ralliement officiel.

Alexandre avait une idée juste de la situation pénible du souverain prussien et lui imposa sa volonté en le menaçant de le priver de sa couronne. Le 27 février 1813, par l'accord de Kalish, le roi de Prusse liait sa destinée à celle des armées russes et entrait en guerre contre Napoléon. L'un des points de cet accord concernait la reconstitution de la Pologne sous l'autorité du Tsar, motif plus concret à son hostilité envers la France que le rôle de "libérateur" qu'il voulait jouer.

Un mois après Kalish, *Koutousov* lançait un appel à tous les Allemands en leur demandant de se soulever contre le joug français.

A la fin du mois d'avril, Napoléon rejoignit sa nouvelle armée à Erfurt. Elle était forte de 145 000 hommes tandis que les Russes et les Prussiens n'en avaient que 80 000. Il avait promis de "*chausser ses bottes d'Italie*" et tint parole. En quatre batailles, dont Lützen et Bautzen, il repoussa les Alliés et leur fit retraverser l'Elbe. *Alexandre* et *Frédéric-Guillaume* perdirent confiance en leur étoile, et surtout le roi de Prusse qui craignait pour sa capitale. Le prestige de Napoléon était tel qu'il suffisait de peu de chose pour lui redonner tout son lustre. Et chacun savait que c'était l'hiver, plutôt que les troupes russes, qui l'avait contraint à sa désastreuse retraite de l'année précédente.

L'Empereur n'avait pourtant pas pu profiter pleinement de ses succès du fait d'une cavalerie insuffisante. Perdant lui-même confiance en ses chances de

victoire, fatigué peut-être d'une guerre qui, étant strictement défensive, ne lui rapportait rien, il accepta la médiation "armée" de l'Autriche au début de juin. Un armistice fut signé à Pleswitz pour une durée de quelques semaines, permettant aux deux camps d'accumuler des réserves en hommes et en matériel avant de retourner se battre.

Cet intermède diplomatique fut l'un des sommets de la carrière de *Metternich*. Alliée de la France, l'Autriche n'avait pas songé à la trahir au début

de 1813. Ou, si elle l'avait pensé suffisamment fort pour que Saint-Pétersbourg pût l'entendre, elle ne l'avait pas fait. La participation de la Prusse à la guerre contre la France ébauchait déjà une coalition qui, si elle était victorieuse, pourrait se montrer sévère envers un pays dynastiquement lié à Napoléon. D'où la médiation "armée", qui permettait à l'Autriche d'entrer en contact avec les adversaires de l'Empereur sans (trop) fâcher celui-ci, tout en mobilisant pour disposer d'une armée susceptible d'intervenir dans le conflit. *Metternich* ne

savait dans quel camp se ranger. Il souhaitait vivement la défaite de Napoléon, comme tous les Autrichiens depuis 1805 et 1809. L'empire des *Habsbourg* ne pouvait, cependant, se permettre un troisième faux pas. La destruction ayant été évitée après Wagram en sacrifiant une archiduchesse, il était difficile de penser que la Monarchie survivrait à une troisième défaite.

  Metternich préférait obtenir pacifiquement ce qu'il était hasardeux de jouer sur le sort des armes. Se posant en médiateur, il pouvait imposer ses vues à

La bataille de Lützen, le 2 mai 1813

Le 28 février 1813, le roi de Prusse s'alliait à la Russie. Fin avril, Napoléon prit la tête de sa nouvelle armée à Erfurt. Forte de 145 000 hommes face aux 80 000 Russes et Prussiens, et commandée par un Napoléon inspiré, elle repoussa les Alliés au-delà de l'Elbe après quatre batailles, dont celle de Lützen.

Napoléon tout en se réservant la possibilité, en cas de refus de celui-ci, de passer dans l'autre camp avec les honneurs. L'entrevue fatale eut lieu le 26 juin à Dresde.

L'Empereur, qui connaissait son **Metternich**, l'aborda assez violemment :

"Ainsi vous voulez la guerre ? C'est bien, vous l'aurez. [...] Je vous donne rendez-vous à Vienne."

L'Autrichien ayant mis en doute la valeur militaire des jeunes conscrits formant l'armée impériale, Napoléon aurait, selon lui, laissé échapper :

"Un homme tel que moi se soucie peu de la vie d'un million d'hommes. [...] Vos souverains nés sur le trône peuvent se laisser battre vingt fois et rentrer toujours dans leur capitale. Moi non, parce que je suis un soldat parvenu."

En se séparant, les deux hommes échangèrent les ultimes paroles de cet entretien mémorable :

"Vous ne me ferez pas la guerre", dit l'Empereur en frappant l'épaule de **Metternich**. Celui-ci, glacial, se contenta de répondre : *"Sire, vous êtes perdu."*

Conscient de n'être pas en mesure de dicter ses volontés, Napoléon accepta de négocier et admit le principe d'une conférence à Prague.

Ces négociations se déroulèrent dans une atmosphère assez particulière. L'armée autrichienne attendait, sur le pied de guerre, de savoir si elle devait marcher sur Paris ou sur Berlin, tandis que les Anglais affirmaient qu'ils ne signeraient jamais un traité où ne seraient pas pris en compte leurs intérêts.

On apprit alors que **Wellington** avait écrasé les Français le 21 juin 1813, à Vittoria. La guerre d'Espagne prenait fin, après cinq années de luttes épuisantes. La Grande-Bretagne s'était habilement servie de la péninsule pour immobiliser des troupes qui auraient été plus utiles ailleurs. Cette guerre perdue d'avance, du fait de l'insuffisance des effectifs et de l'incurie des généraux, avait coûté très cher à l'Empire. La bataille de Talavera, livrée le 28 juillet 1809 et remportée par **Wellington** sur **Victor** et **Jourdan**, avait consacré le bien-fondé de la politique britannique. Après avoir investi Ciudad Rodrigo, **Masséna** s'en était pris à Lisbonne sans grand succès, et, après la victoire non décisive de Fuentes de Oñoro, le 3 mai 1811, il dut battre en retraite.

Décidé à attaquer la Russie, Napoléon avait cessé de s'intéresser au "guêpier" espagnol. Il s'était borné à protéger l'axe Madrid-Bayonne en laissant les

La bataille de Leipzig, le 16 octobre 1813

Les 26 et 27 août, l'Empereur avait vaincu la principale formation ennemie devant Dresde. Mais, réfugié avec 200 000 hommes à Leipzig, il dut affronter les troupes de la Coalition. La bataille dite "des Nations" dura trois jours ; la victoire revint aux Alliés, obligeant l'Empereur à reculer jusqu'au Rhin.

Gravure coloriée, à Lyon, chez Bernasconi et Cie, Grande Rue de la Guillotière n° 67.

Anglais reconquérir, lentement mais sûrement, le reste du pays. **Wellington** progressait et les contre-attaques françaises, brusques à-coups sans lendemains, échouaient pour la plupart du fait de la mésentente entre les chefs militaires français. Le 8 octobre 1813, **Wellington** passait la Bidassoa. La guerre d'Espagne était terminée.

L'annonce de la victoire définitive de **Wellington** sur les Français en Espagne, ajoutée à la volonté de Napoléon de ne renoncer à aucune de ses conquêtes, avait fait avorter la conférence de Prague à l'été 1813.

L'objectif de **Metternich** était atteint : c'était Napoléon qui supportait la responsabilité morale de la guerre et non les Alliés, auxquels s'était désormais jointe l'Autriche. La seconde phase de la campagne d'Allemagne pouvait commencer. Le rapport des forces s'établissait en faveur des Alliés, qui disposaient de 860 000 hommes tandis que l'Empereur ne pouvait en aligner que 700 000, en utilisant toutes ses réserves.

Le sort des armes resta indécis durant les mois d'août et de septembre. Les 26 et 27 août, l'Empereur écrasait la principale formation ennemie devant Dresde, mais quelques jours plus tôt **Bülow** avait sauvé Berlin de l'armée d'**Oudinot**. Le 16 octobre, Napoléon réfugié à Leipzig avec 200 000 hommes dut affronter les forces de la Coalition. La bataille, dite "*des Nations*", dura trois jours et se solda par la victoire des Alliés. L'Empereur vaincu retourna jusqu'au Rhin pour y établir sa dernière ligne de défense… et donner l'ordre de lever une nouvelle armée pour la Campagne de France. Ce serait celle des "Marie-Louise", adolescents surnommés ainsi du fait de leur extrême jeunesse.

La longue agonie : 1814-1815

La Campagne de France : 1814

Victorieux à Leipzig, les Alliés se trouvèrent tout naturellement désunis sur la conduite à tenir : fallait-il traiter ou envahir la France ? Ne devait-on pas redouter ce sursaut populaire qui avait causé la défaite de Valmy ? Leurs intérêts différaient et commençaient à empoisonner leurs relations.

Les Prussiens s'étaient déclarés en faveur de la déposition pure et simple de Napoléon, préconisant de marcher jusqu'à Paris pour y démembrer la France. *Alexandre* ne s'opposait pas à la "destitution" de son ennemi mais refusait de se montrer trop dur envers le peuple vaincu. Le Cabinet de Londres, lui, craignait de voir les Français se dresser comme un seul homme si l'on osait toucher à leur empereur. Les Autrichiens hésitaient beaucoup entre les différents partis, optant finalement pour l'avènement de *Napoléon II* sous la régence de *Marie-Louise*.

Personne n'avait vraiment envie de franchir le Rhin, mis à part les Prussiens et le Tsar qui rêvait de venger l'affront fait à Moscou. Des propositions de paix furent envoyées à Napoléon de Francfort où s'étaient réunis les chefs de la Coalition. Mais l'Empereur ne pouvait se résoudre à abandonner ses conquêtes. A toutes les propositions que lui firent les Alliés, il répondit d'abord par la négative et ne donna son accord que trop tard, quand la situation militaire avait évolué à son désavantage.

A la fin décembre, les troupes alliées passèrent le Rhin avec au ventre la crainte d'être englouties par les plaines de Champagne. Elles ne pouvaient imaginer que le peuple dont elles redoutaient si fort l'hostilité était trop las pour les combattre efficacement. Il y aurait bien sûr des groupes de "partisans" qui mèneraient la vie dure aux isolés ; mais ils n'influeraient pas beaucoup sur le cours de la campagne.

Napoléon avait laissé les frontières à la garde de quelques maréchaux, *Victor, Marmont et Macdonald*. C'était une erreur, car ceux-ci n'avaient pas d'autre envie que de conclure une paix, n'importe laquelle, qui leur permettrait d'en finir avec ces incessants conflits.

L'Empire s'effondrait comme un château de cartes. *Wellington* avait passé les Pyrénées et avançait dans le Sud ; la Hollande s'était soulevée contre l'occupant français et le prince d'Orange y avait été accueilli en sauveur ; l'Italie elle-même passait sous le contrôle des Alliés, secondés par *Murat* qui avait conclu une alliance avec l'Autriche pour sauver son trône de Naples. Napoléon s'obstinait dans la guerre, convaincu qu'il ne pourrait obtenir de paix satisfaisante qu'une fois victorieux. A ses ministres, à ses maréchaux qui le pressaient de négocier, il répondait : "*Il est facile de parler de paix, mais il n'est pas*

La bataille du pont de Montereau, le 18 février 1814

La Campagne de France fut la plus belle, et la plus désespérée, des campagnes napoléoniennes. L'Empereur devait affronter un ennemi supérieur en nombre et en matériel. Mais l'obstacle le plus redoutable se dressa dans les rangs français : défection de Murat, trahison des vieux compagnons. Malgré ses incessantes victoires sur le terrain, Napoléon sentait se dérober tout accord honorable. Tout allait se jouer à Paris, sans lui, sous la houlette de Talleyrand.

Jean-Charles Langlois (1789-1870), salon de 1840. Musée du château de Versailles.

aussi facile de la conclure. L'Europe ne la veut pas franchement. Vous croyez que c'est en nous humiliant devant elle que nous la désarmerons ? Vous vous trompez. Plus vous serez accommodants, plus elle sera exigeante. Elle vous proposera bientôt les frontières de 1790. Il faut combattre encore une fois, combattre en désespérés. Si nous sommes vainqueurs, nous devrons nous hâter de conclure la paix. Soyez-en sûrs, je m'y prêterai avec empressement..."

La Campagne de France fut, effectivement, désespérée. Tandis que Paris complotait sa chute, encouragée par **Talleyrand** et les milieux royalistes, Napoléon devait affronter un ennemi supérieur en nombre et en matériel. Tout son génie et toute la vaillance de ses "Marie-Louise" ne pouvaient retourner la situation.

Les Alliés avaient attaqué durant l'hiver alors que l'Empereur ne les attendait qu'au printemps. Les semaines dont il aurait eu besoin pour rassembler les troupes encore dispersées en Allemagne et en Espagne lui manquèrent cruellement. Les maréchaux des frontières, ayant perdu tout esprit belliqueux, se replièrent partout sans combattre. L'est du pays passait sous la domination de l'ennemi. Le 24 janvier 1814, Napoléon partait rejoindre son armée et faisait ses adieux à sa femme et au petit *Roi de Rome*. Il ne les reverrait jamais.

L'arrivée de l'Empereur raffermit le moral des troupes et de leurs généraux. A un contre cinq, Napoléon entreprit de repousser les envahisseurs et battit les Prussiens de *Blücher* à Brienne. Mais l'annonce de la défection de *Murat* entama durement son moral. Tous ses vieux compagnons, tous ceux qui avaient été, depuis quinze ans, ses complices dans la prise et la conservation du pouvoir le trahissaient. Comment faire la guerre avec une armée dont les chefs exigeaient de négocier avec l'ennemi ?

Napoléon céda : *Caulaincourt* fut envoyé à Châtillon pour rencontrer les plénipotentiaires adverses. Mais ce congrès était trop dépendant de la fortune des armes pour aboutir à un réel accord : chacun durcissait ou assouplissait ses exigences en fonction de ses victoires ou de ses défaites militaires. Conscient de ce que son maître jouait son trône en refusant les propositions des Alliés, *Caulaincourt* exhortait celui-ci à se rendre à leurs exigences pour continuer à régner. Mais si Napoléon finissait par accepter, c'était toujours trop tard ; vainqueurs, les Alliés ne consentaient plus à accorder les conditions offertes la veille encore.

Une dernière manœuvre, hasardeuse, de contournement des armées alliées échoua par la faute de *Talleyrand* qui avait noué de fructueux contacts avec les milieux royalistes depuis quelques années. Son appartenance au Conseil de Régence, ses accointances dans tous les partis faisaient de lui l'arbitre de la situation. Or *Talleyrand*, sentant l'Empire perdu – il y travaillait depuis 1807 – avait résolu, après maintes hésitations, de se prononcer en faveur de *Louis XVIII*. Rentré en France "*dans les fourgons de l'étranger*", le frère de *Louis XVI* dépendait entièrement de la bonne volonté des Alliés pour sa restauration. Le soutien de l'ancien dignitaire impérial s'avéra décisif.

Suivant de près les opérations militaires, *Talleyrand* entra en contact avec les chefs adverses et, au moment crucial, leur envoya l'un de ses agents avec

un message de quelques lignes : "*Vous marchez avec des béquilles, servez-vous de vos jambes et voulez ce que vous pouvez...*"

Les Alliés comprirent que la France était réellement à bout : ils marchèrent sur Paris. C'était surtout le Tsar qui avait insisté pour prendre la capitale, réduisant à néant la dernière manœuvre de l'Empereur. Paris perdu, *Marie-Louise* en fuite à Blois avec le Conseil de Régence (excepté *Talleyrand*, naturellement),

la victoire ne pouvait plus être forcée. Après avoir tenté une dernière fois de gagner du temps afin de regrouper ses troupes, Napoléon se réfugia au château de Fontainebleau pour attendre la suite des événements.

Le Tsar et le roi de Prusse entrèrent dans Paris le 31 mars 1814. Aux termes de l'acte de capitulation, la ville fut épargnée et le pillage y fut interdit. *Alexandre* connaissait des heures de joie sans mélange et, Moscou symboliquement vengée, il voulait se montrer généreux.

Il affirmait avoir fait la guerre à Napoléon, mais non aux Français dont il s'employait, sans trop de mal, à gagner les bonnes grâces. Apeurée et soulagée, Paris oscillait entre le rire et les larmes. Ayant mis son hôtel particulier à la disposition du Tsar et renouant avec les heures d'Erfurt, *Talleyrand* eut une influence considérable sur les décisions de l'autocrate russe. Le trône de Napoléon étant pratiquement condamné, la possibilité la plus logique qui s'offrait alors était de placer la France sous la régence de **Marie-Louise** en attendant la majorité de **l'Aiglon**. Tel n'était pas l'avis de l'ancien ministre : il convenait plutôt, pour faire oublier à la France ses aventures passées, de restaurer l'ancienne monarchie dans toute sa force. **Louis XVIII**, méprisé par la plupart des Alliés, y gagnait de ne pas leur sembler bien redoutable.

Le Tsar finit par se laisser convaincre et demanda au Sénat de nommer un gouvernement provisoire. C'est en tant que président de ce gouvernement que **Talleyrand**, le 2 avril 1814, ratifia l'acte de déchéance de l'Empereur. Mais Napoléon n'était toujours pas résigné. Les troupes qui lui avaient fait défaut quelques jours plus tôt étant arrivées, il projetait de marcher sur Paris et de jouer le tout pour le tout. Ses soldats étaient prêts à le suivre… mais pas ses maréchaux. Le 4 avril, **Macdonald, Lefebvre, Oudinot, Moncey** et **Ney** le contraignirent à renoncer au trône. Il rédigea son acte d'abdication en faveur de son fils et le leur lut.

Après avoir achevé, Napoléon releva les yeux, les fixa tous et soupira : "*Et pourtant, pourtant, nous les battrions si nous voulions !*"

Avant d'ajouter, ce qui était plus vrai : "*Je suis moins vaincu par la fortune que par l'égoïsme et l'ingratitude de mes frères d'armes…*"

En montrant aux Alliés que ceux-ci se dissociaient de leur ancien maître, la désertion de **Marmont** les conduisit à exiger une abdication sans conditions, ce qui éliminait le **Roi de Rome** de la succession. Napoléon y consentit et **Louis XVIII** fut installé. Les vainqueurs se montrèrent aussi généreux envers l'Empereur déchu qu'ils avaient su l'être avec Paris : ils lui donnèrent l'île d'Elbe en toute souveraineté, lui permirent de conserver son titre impérial et lui garantirent une dotation de 2 millions de francs par an, versée par la France… Désespéré, Napoléon tenta de se suicider dans la nuit du 12 au 13 avril, mais il échoua : le poison était éventé. Sa nature combative reprit bientôt le dessus et il forma de nouveaux projets dès le lendemain : revoir sa femme et son fils, écrire son histoire… Et revenir, peut-être ? Le 20 avril, c'étaient les Adieux de Fontainebleau, les adieux aux derniers fidèles, à ceux qui ne s'étaient pas ralliés au nouveau monarque. Deux semaines plus tard, l'ancien empereur d'Occident débarquait dans la capitale de son humble royaume : Porto Ferrajo.

1815, l'enjambée impériale de l'île d'Elbe à Paris

Deux semaines après les Adieux de Fontainebleau, Napoléon débarquait à l'île d'Elbe. L'Histoire sembla alors l'oublier, occupée sur la scène du congrès de Vienne, ouvert à la fin de septembre 1814. Mais l'ex-empereur, très au fait des événements en France, brûlait d'accomplir de grandes choses. Il s'embarqua pour les côtes de France le 26 février 1815. Devant l'accueil enthousiaste qui lui fut réservé, tout lui sembla de nouveau possible.

Tiré de l'ouvrage de Félix Fleury, Grenoble, 1868.

PARIS

L'île d'Elbe et les Cent-Jours : 1814-1815

Louis XVIII régnait donc, après 23 ans d'exil. Comme la plupart des "Ultras", dont son frère **d'Artois** était le chef, il n'avait "*rien appris ni rien oublié*". Répugnant à composer avec les anciens assassins de son frère, couverts de soie et d'ors par l'Empereur déchu, le nouveau roi entendait bien exercer un pouvoir aussi absolu que celui de **Louis XVI**. Seule la résistance du Tsar et des dignitaires impériaux, qui contrôlaient l'Etat et l'Armée, purent le convaincre "d'octroyer" une Charte à son peuple.

Epais de corps mais fin d'esprit, *Louis XVIII* savait qu'il devrait composer. Mais il ne souhaitait le faire que dans la mesure où ces concessions passagères lui permettraient de rétablir un pouvoir fort. *Talleyrand*, à qui il devait son retour, fut provisoirement nommé ministre avant d'être envoyé à Vienne. La première chose à faire, avant même de songer à réorganiser le pays dévasté par la guerre et l'occupation des Alliés, était de conclure la paix avec ceux-ci. Elle fut signée à Paris le 30 mai et ramenait la France à ses frontières de 1791 augmentées d'un morceau de Savoie et de Nice.

Les Coalisés se réservaient le droit de disposer des immenses territoires abandonnés par les Français. Le partage devait être opéré au congrès de Vienne, qui débuta à la fin de septembre 1814 (l'ouverture officielle ayant lieu le 1er novembre) et s'acheva le 9 juin 1815. *Talleyrand* y fit preuve de ses qualités de diplomate, retournant la faiblesse de sa position, qui le contraignait au désintéressement, contre les Alliés en prêchant le respect des principes. La Légitimité, disait-il, devait être la source et l'objet du nouvel équilibre européen. Cet argument tout simple contrecarrait les velléités annexionnistes du Tsar en Pologne et de la Prusse en Saxe.

Grâce à un accord conclu le 3 janvier 1815 entre l'Autriche, la France et la Grande-Bretagne, une guerre entre les Alliés put être évitée et **Alexandre** céda. Les Prussiens durent se contenter des deux cinquièmes de la Saxe et la Russie d'une large portion de Pologne, tandis que l'Autriche obtenait des compensations en Italie du Nord et que la Confédération germanique réunissait les princes allemands.

Un événement soudain ébranla cependant la bonne marche des négociations : on apprit début mars que Napoléon s'était échappé de l'île d'Elbe. Cette nouvelle inquiétante contribua à reformer immédiatement la Coalition un instant rompue par les intérêts antagonistes de ses membres. Bien que contacté par des agents de l'Empereur, **Talleyrand** resta "fidèle" à **Louis XVIII** et rédigea lui-même une déclaration aux termes de laquelle les Puissances déclaraient Napoléon exclu *"des relations civiles et sociales et livré à la vindicte publique comme ennemi et perturbateur du repos du monde"*.

Ce texte n'émut pas outre mesure les Français, qui avaient assez tâté de la Restauration pour regretter l'Empire. L'armée humiliée des "demi-solde", les propriétaires terriens irrités de voir la Chambre remettre en question la vente des Biens nationaux, la bourgeoisie agacée du retour des nobles au pouvoir, se déclarèrent en faveur de l'Empereur, qui fut acclamé durant tout son trajet jusqu'à Paris. C'était le début des Cent-Jours.

Les quelques mois passés à l'île d'Elbe avaient convaincu Napoléon qu'il n'était pas fait pour vivre en petit prince italien. Il avait besoin, pour s'épanouir pleinement, de grands desseins que lui interdisaient les rivages paisibles de son île. Etudiant avec soin l'évolution des esprits en France, et comptabilisant joyeusement les fautes de **Louis XVIII** et des siens, il pensa que son heure pouvait sonner à nouveau. Le 26 février 1815, il s'embarqua pour sa dernière équipée à destination des côtes de France.

"De Cannes à Grenoble, j'étais un aventurier, dans cette dernière ville, je redevins un souverain"… dira-t-il à Sainte-Hélène.

Le 19 mars, **Louis XVIII** aux abois devait quitter Paris, son gouvernement s'étant effondré par son incapacité à faire face à la crise. Dès le lendemain, jour anniversaire de la naissance de **l'Aiglon**, Napoléon entrait dans la capitale. Revêtus de leurs grands uniformes, ses partisans l'attendaient tous aux Tuileries.

"Je veux la paix, annonça l'Empereur avant de préciser : *Mais ce n'est pas la paix seule que je veux donner à la France, c'est la liberté…"*

Le pays entier se rallia à son ancien maître : **Louis XVIII** fut contraint de quitter le territoire. Déjà l'armée était réorganisée et de nouvelles troupes levées en hâte pour faire face au million d'hommes qui convergeaient vers les frontières. L'offensive diplomatique, qui visait à casser la Coalition en jouant sur ses divergences d'intérêts, n'aboutit à rien. Les promesses répétées de s'en tenir aux conditions du traité de Paris du 30 mai 1814 n'eurent pas plus de résultats. Il fallait livrer bataille, encore une fois. Revenu des erreurs du passé, Napoléon se montrait pourtant plus libéral qu'il ne l'avait jamais été, rétablissant l'entière liberté de la Presse et aspirant à devenir un monarque constitutionnel. Avait-il vraiment d'autre choix, pour reconquérir l'opinion, que de se montrer "meilleur" prince que les **Bourbons** ? Il chargea **Benjamin Constant** de rédiger un projet de Constitution libérale, baptisé *Acte additionnel aux Constitutions de l'Empire* afin de ne pas renier tout ce qui avait précédé 1814. La démarche ne fut guère appréciée : on crut à une ruse d'un despote menacé, qui reprendrait une fois vainqueur tout ce qu'il avait dû céder. Bien que rebutée par l'arrogance de la noblesse revenue avec **Louis XVIII**, la bourgeoisie était peu favorable à un Empire qui liguait toute l'Europe contre lui. Ces industriels, ces commerçants, ces notables, ces hauts fonctionnaires aspiraient avant tout à la paix. Seul le peuple était encore prêt à suivre Napoléon dans ses aventures guerrières. Le désir de paix affiché par celui-ci paraissait un vœu pieux.

Murat, allié de son beau-frère qu'il avait trahi en 1814, précipita la guerre en attaquant l'Autriche en Italie. Il savait que le congrès de Vienne se préparait à le destituer et voulait se rendre maître de la Péninsule avant qu'il ne soit trop tard. Battu à Tolentino le 3 mai, il dut s'exiler pour échapper à la capture. Cette défaite privait Napoléon d'un soutien qui aurait pu être efficace contre l'Autriche en cas d'attaque concertée.

Début juin, après le "Champ de Mai" où l'armée, la Garde nationale et la Garde impériale jurèrent de périr pour défendre le pays et le trône, l'Empereur partit pour les plaines de Flandre où progressait l'ennemi. Il savait que tout serait joué à quitte ou double : vainqueur il pourrait peut-être s'imposer à l'Europe, vaincu il perdrait tout.

La bataille de Waterloo

Les deux adversaires de Napoléon furent Wellington et Blücher. L'Empereur entreprit de battre successivement les deux armées, qui se trouvaient séparées. Après un premier succès de nos troupes, le 18 juin, Wellington retourna la situation, renforcé à point nommé par les Prussiens. Ici, le Ier chasseurs, sous les ordres du général Cambronne, a formé, à la Haie-Sainte, le dernier carré de la Grande Armée.

A Paris chez Lambert, rue Serpente n° 10.

Les deux adversaires de Napoléon, pour sa dernière campagne, furent le Britannique *Wellington* et le Prussien *Blücher*. Les Russes et les Autrichiens ne participèrent pas à Waterloo, n'étant pas encore arrivés au moment de la bataille. Les deux armées ennemies étant séparées, l'Empereur entreprit de les anéantir l'une après l'autre.

Les Prussiens furent bousculés à Ligny mais *Ney*, retenu par les Anglais, ne put pas intervenir à temps pour provoquer la déroute de *Blücher*. La journée s'acheva sur un *statu quo* favorable aux Français qui avaient coupé les Alliés l'un de l'autre. Le 18 juin, c'était Waterloo ; renforcé à point nommé par les Prussiens, *Wellington* put soutenir les assauts français et retourner la situation en sa faveur. Une attaque précipitée de *Ney* ne parvint pas à percer les lignes britanniques ; la Jeune Garde, elle, était durement malmenée par les Prussiens. Bientôt ce fut la débandade des forces françaises, accentuée par l'assaut final de *Wellington*. La Garde, formée en un dernier carré, résistait seule et subissait de lourdes pertes.

Napoléon voulut rester pour se faire tuer avec ses hommes : pourquoi survivre à ce désastre ? Il regrettera plus tard, à Sainte-Hélène, de ne pas avoir connu cette fin. Mais ses soldats auraient-ils pu accepter de laisser mourir leur dieu ?

Bonaparte, Premier Consul de la République française dans son grand costume.

A Paris chez Basset Md d'Estampes et fabricant de papiers peints. Rue Jaques au coin de celle des Mathurins n°670.

NOUVELLES
OFFICIELLES
DE LA GRANDE ARMÉE.
EXTRAIT DU MONITEUR du 9 mai 1813.

Paris, le 8 mai.

Sa majesté l'Impératrice-Reine et Régente a reçu les nouvelles suivantes de l'armée :

Les combats de Weissenfels et de Lutzen n'étaient que le prélude d'événemens de la plus haute importance.

L'empereur Alexandre et le roi de Prusse , qui étaient arrivés à Dresde avec toutes leurs forces dans les derniers jours d'avril , apprenant que l'armée française avait débouché de la Thuringe , adoptèrent le plan de lui livrer bataille dans les plaines de Lutzen , et se mirent en marche pour en occuper la position ; mais ils furent prévenus par la rapidité des mouvemens de l'armée française ; ils persistèrent cependant dans leurs projets , et résolurent d'attaquer l'armée pour la déposter des positions qu'elle avait prises.

La position de l'armée française au 2 mai , à neuf heures du matin , était la suivante :

La gauche de l'armée s'appuyait à l'Elster ; elle était formée par le vice-roi, ayant sous ses ordres les 5e et 11e corps. Le centre était commandé par le prince de la Moskowa, au village de Kaïa. L'Empereur avec la jeune et la vieille garde était à Lutzen.

Le duc de Raguse était au défilé de Poserna , et formait la droite avec ses trois divisions. Enfin le général Bertrand, commandant le 4e corps, marchait pour se rendre à ce défilé. L'ennemi débouchait et passait l'Elster aux ponts de Zwenkau, Pegau et Zeitz. S. M. ayant l'espérance de le prévenir dans son mouvement , et pensant qu'il ne pourrait attaquer que le 3, ordonna au général Lauriston, dont le corps formait l'extrémité de la gauche , de se porter sur Leipsick, afin de déconcerter les projets de l'ennemi et de placer l'armée française, pour la journée du 3, dans une position toute différente de celle où les ennemis avaient compté la trouver et où elle été effectivement le 2, et de porter ainsi de la confusion et du désordre dans leurs colonnes.

A 9 heures du matin , S. M. ayant entendu une canonnade du côté de Leipsick, s'y porta au galop. L'ennemi défendait le petit village de Listenau et les ponts en avant de Leipsick. S. M. n'attendait que le moment où ces dernières positions seraient enlevées, pour mettre en mouvement toute son armée dans cette direction, la faire pivoter sur Leipsick, passer sur la droite de l'Elster, et prendre l'ennemi à revers; mais à dix heures, l'ormée ennemie déboucha vers Kaïa sur plusieurs colonnes d'une noire profondeur, l'horizon en était obscurci.

L'ennemi présentait des forces qui paraissaient immenses : l'Empereur fit sur-le-champ ses dispositions. Le vice-roi reçut l'ordre de se porter sur la gauche du prince de la Moskowa, mais il lui fallait trois heures pour exécuter ce mouvement. Le prince de la Moskowa prit les armes, et avec ses cinq divisions soutint le combat, qui au bout d'une demi-heure devint terrible. S. M. se porta elle-même à la tête de la garde derrière le centre de l'armée, soutenant la droite du prince de la Moskowa. Le duc de Raguse, avec ses trois divisions, occupait l'extrême droite.

Le général Bertrand eut ordre de déboucher sur les derrières de l'armée ennemie, au moment où la ligne se trouverait le plus fortement engagée.

La fortune se plut à couronner du plus brillant succès toutes ces dispositions. L'ennemi, qui paraissait certain de la réussite de son entreprise, marchait pour déborder notre droite et gagner le chemin de Weissenfels. Le général Compans, général de bataille du premier mérite, à la tête de la 1re division du duc de Raguse, l'arrêta tout court.

Les régimens de marine soutinrent plusieurs charges avec sang-froid, et couvrirent le champ de bataille de l'élite de la cavalerie ennemie. Mais les grands efforts d'infanterie, d'artillerie et de cavalerie, étaient sur le centre. Quatre des cinq divisions du prince de la Moskowa étaient déjà engagées. Le village Kaïa fut pris et repris plusieurs fois. Ce village était resté au pouvoir de l'ennemi : le comte de Lobau dirigea le général Ricard pour reprendre le village; il fut repris.

La bataille embrassait une ligne de deux lieues couvertes de feu, de fumée et de tourbillons de poussière. Le prince de la Moskowa, le général Souham, le général Girard, étaient partout, faisaient face à tout. Blessé de plusieurs balles, le général Girard voulut rester sur-le-champ de bataille. Il déclara vouloir mourir en commandant et dirigeant ses troupes, puisque le moment était arrivé pour tous les français qui avaient du cœur, de vaincre ou de périr.

Cependant, on commençait à apercevoir dans le lointain la poussière et les premiers feux du corps du général Bertrand. Au même moment le vice-roi entrait en ligne sur la gauche, et le duc de Tarente attaquait la réserve de l'ennemi, et abordait au village où l'ennemi appuyait sa droite. Dans ce moment, l'ennemi redoubla ses efforts sur le centre; le village de Kaïa fut emporté de nouveau; notre centre fléchit; quelques bataillons se débandèrent; mais cette valeureuse jeunesse, à la vue de l'Empereur, se rallia en criant : vive l'Empereur !

S. M. jugea que le moment de crise qui décide du gain ou de la perte des batailles était arrivé : il n'y avait plus un moment à perdre. L'Empereur ordonna au duc de Trévise de se porter avec seize bataillons de la jeune garde au village de Kaïa, de donner tête baissée, de culbuter l'ennemi, de reprendre le village, et de faire main-basse sur tout ce qui s'y trouvait.

Au même moment S. M. ordonna à son aide-de-camp le général Drouot, officier d'artillerie de la plus grande distinction, de réunir une batterie de 80 pièces; et de la placer en avant de la vieille garde, qui fut disposée en échelons comme quatre redoutes, pour soutenir le centre, toute notre cavalerie rangée en bataille derrière.

Les généraux Dulaüloy, Drouot et Devaux partirent au galop avec leurs 80 bouches à feu placées en un même groupe. Le feu devint épouvantable. L'ennemi fléchit de tous côtés. Le duc de Trévise emporta sans coup férir le village de Kaïa, culbuta l'ennemi, et continua à se porter en avant en battant la charge. Cavalerie, infanterie, artillerie de l'ennemi, tout se mit en retraite.

Le général Bonnet, commandant une division du duc de Raguse, reçut ordre de faire un mouvement par sa gauche sur Kaïa, pour appuyer les succès du centre. Il soutint plusieurs charges de cavalerie dans lesquelles l'ennemi éprouva de grandes pertes.

Cependant le général comte Bertrand s'avançait et entrait en ligne. C'est en vain que la cavalerie ennemie caracola autour de ses quarrés; sa marche n'en fut pas ralentie : pour le rejoindre plus promptement, l'Empereur ordonna un changement de direction en pivotant sur Kaïa. Toute la droite fit un changement de front, la droite en avant.

L'ennemi ne fit plus que fuir; nous le poursuivîmes une lieue et démie. Nous arrivâmes bientôt sur la hauteur que l'empereur Alexandre, le roi de Prusse et la famille de Brandebourg y occupaient pendant la bataille. Un officier prisonnier qui se trouvait là, nous apprit cette circonstance.

Nous avons fait plusieurs milliers de prisonniers. Le nombre n'a pu en être plus considérable, vu l'infériorité de notre cavalerie, et le désir que l'Empereur avait montré de l'épargner.

Au commencement de la bataille, l'Empereur avait dit aux troupes : « C'est une bataille d'Egypte. Une bonne infanterie, « soutenue par l'artillerie, doit savoir se suffire. »

Proclamation de l'Empereur à l'armée.

« Soldats, je suis content de vous ! vous avez rempli mon at-
« tente ! vous avez suppléé à tout par votre bonne volonté et par
« votre bravoure. Vous avez, dans la célèbre journée du 2 mai, défait
« et mis en déroute l'armée russe et prussienne commandée par
« l'empereur Alexandre et par le roi de Prusse. Vous avez ajouté
« un nouveau lustre à la gloire de mes aigles : vous avez montré
« tout ce dont est capable le sang français.

« La bataille de Lutzen sera mise au-dessus des batailles d'Aus-
« terlitz, d'Iéna, de Friedland et de la Moskowa ! Dans la campagne
« passée, l'ennemi n'a trouvé de refuge contre nos armes qu'en sui-
« vant la méthode féroce des barbares ses ancêtres. Des armées de
« tartares ont incendié ses campagnes, ses villes, la sainte Moscou
« elle-même !

« Aujourd'hui ils arrivaient dans nos contrées, précédés de
» tout ce que l'Allemagne, la France et l'Italie ont de mauvais
» sujets et de déserteurs, pour y prêcher la révolte, l'anarchie,
» la guerre civile, le meurtre. Ils se sont faits les apôtres de
» tous les crimes. C'est un incendie moral qu'ils voulaient allu-
» mer entre la Vistule et le Rhin, pour, selon l'usage des
» gouvernemens despotiques, mettre des déserts entre nous et
» eux.

» Les insensés ! ils connaissaient peu l'attachement à leurs
» souverains, la sagesse, l'esprit d'ordre et le bon sens des
» Allemands ! Ils connaissaient peu la puissance et la bravoure
» des Français !

» Dans une seule journée, vous avez déjoué tous ces com-
» plots parricides... Nous rejetterons ces Tartares dans leurs
» affreux climats qu'ils ne doivent pas franchir.

» Qu'ils restent dans leurs déserts glacés, séjour d'escla-
» vage, de barbarie et de corruption où l'homme est ravalé à
» l'égal de la brute. Vous avez bien mérité de l'Europe civi-
» lisé; soldats ! l'Italie, la France, l'Allemagne vous rendent
» des actions de graces !

» De notre camp impérial de Lutzen, le 3 mai 1813.

» Signé NAPOLÉON.

NOUVELLES OFFICIELLES

DE LA GRANDE-ARMÉE.

SITUATION DE L'ARMÉE AU VINGT MARS.

SA MAJESTÉ l'Impératrice-Reine et Régente a reçu les nouvelles suivantes :

Le général russe Wittgenstein, avec son corps d'armée, était à Villenoxe. Il avait jeté des ponts à Pont, où il avait passé la Seine, et il marchait sur Provins.

Le duc de Tarente avait réuni ses troupes sur cette ville. Le 16, l'ennemi manœuvrait pour déborder sa gauche. Le duc de Reggio engagea son artillerie, et toute la journée se passa en canonnade. Le mouvement de l'ennemi paraissait se prononcer sur Provins et sur Nangis,

D'un autre côté, le prince de Schwartzenberg, l'empereur Alexandre et le roi de Prusse, étaient à Arcis - sur - Aube.

Le corps du prince-royal de Wurtemberg s'était porté sur Villers - aux - Corneilles.

Le général Platow, avec ses trois mille barbares, s'était jeté sur Fère-Champenoise et Sézanne.

L'empereur d'Autriche venait d'arriver de Chaumont à Troyes.

Le prince de la Moskowa est entré le 16 à Châlons-sur-Marne.

L'Empereur a couché le 17 à Epernai, le 18 à Fère - Champenoise, et le 19 à Plancy,

Le général Sébastiani, à la tête de sa cavalerie, a rencontré à Fère - Champenoise le général Platow, l'a culbuté et l'a poursuivi jusqu'à l'Aube, en lui faisant des prisonniers,

Le 19, après - midi, l'Empereur a passé l'Aube à Plancy. A cinq heures du soir, il a passé la Seine à un gué et fait tourner Méry, qui a été occupé.

A sept heures du soir, le général Letort, avec les chasseurs de la Garde, est arrivé au village de Châtres coupant la route de Nogent à Troyes; mais l'ennemi était déjà par-tout en retraite. Cependant le général Letort a pu atteindre son parc de pontons, qui avait servi à faire le pont de Pont-sur-Seine; il s'est emparé de tous les pontons sur leurs haquets attelés, et d'une centaine de voitures de bagages ; il a fait des prisonniers,

Dans la journée du 17, le général Wrede avait rétrogradé rapidement sur Arcis - sur - Aube. Dans la nuit du 17 au 18, l'empereur de Russie s'était retiré sur Troyes. Le 18, les Souverains alliés ont évacué Troyes et se sont portés, en toute hâte, sur Bar-sur-Aube.

S. M. l'Empereur est arrivé à Arcis-sur-Aube le 20 au matin.

Pour copie conforme : *l'Auditeur au Conseil d'Etat, Préfet du Département de la Vendée,*

LE BARON DE CHATEAUBOURG.

A NAPOLÉON, chez ALLUT, Imprimeur de la Préfecture.

PROCLAMATION.

S. M. L'IMPÉRATRICE-REINE
ET RÉGENTE
A TOUS LES FRANÇAIS.

FRANÇAIS,

Les événemens de la guerre ont mis la Capitale au pouvoir de l'Étranger.

L'Empereur, accouru pour la défendre, est à la tête de ses Armées si souvent victorieuses.

Elles sont en présence de l'ennemi sous les murs de Paris.

C'est de la résidence que j'ai choisie, et des Ministres de l'Empereur, qu'émaneront les seuls ordres que vous puissiez reconnaître.

Toute ville, au pouvoir de l'ennemi, cesse d'être libre, toute direction qui en émane, est le langage de l'étranger, ou celui qu'il convient à ses vues hostiles de propager.

Vous serez fidèles à vos sermens. Vous écouterez la voix d'une Princesse qui s'est remise à votre foi, qui fait toute sa gloire d'être Française, d'être associée aux destinées du Souverain que vous avez librement choisi.

Mon Fils était moins sûr de vos cœurs aux tems de nos prospérités.

Ses droits et sa personne sont sous votre sauve-garde.

Blois 3 Avril 1814

MARIE-LOUISE.

Par l'Impératrice-Régente :

Le Ministre de l'Intérieur, faisant fonctions de Secrétaire de la Régence,

MONTALIVET.

Le Préfet du Département de la Vendée, Auditeur au Conseil d'État, Baron de l'Empire,

ARRÊTE

Que la présente Proclamation sera imprimée, lue, publiée et affichée dans toutes les Communes du Département, à la diligence de MM. les Maires.

Napoléon, le 9 Avril 1814.

Le Baron de CHATEAUBOURG.

NAPOLÉON, chez ALLUT, Imprimeur de la Préfecture, et des Journaux du Département.

NOUVELLES
OFFICIELLES
DE LA GRANDE-ARMÉE.

SITUATION DE L'ARMÉE AU VINGT-NEUF MARS.

SA Majesté l'Impératrice-Reine et Régente a reçu des nouvelles des Armées :

Le général de division Piré est entré à Chaumont, le 25 mars, et a ainsi coupé la ligne d'opération de l'ennemi. Il a intercepté beaucoup de courriers et d'estafettes, a enlevé à l'ennemi des bagages, plusieurs pièces de canon, des magasins d'habillement et une grande partie de ses hôpitaux, il a été parfaitement secondé par les habitans de la campagne qui sont partout en armes et montrent la plus grande ardeur.

M. le baron de Vessenberg, ministre d'Autriche en Angleterre, revenant de Londres avec le comte Palfi, son secrétaire de légation; le lieutenant-général suédois Schiol de Brand, ministre de Suède auprès de l'Empereur de Russie avec un major suédois; le conseiller de guerre prussien Piguielhen, MM. Tolstoy et de Marcoff, et des officiers d'ordonnance russes, allant tous en mission aux différens quartiers-généraux des alliés, ont été arrêtés par les levées en masse et conduits au quarti.-général. L'enlèvement de ces personnages, et de leurs papiers qui ont été pris, est d'une grande importance.

Le parc de l'armée russe et tous les équipages étaient à Bar-sur-Aube. à la première nouvelle des mouvemens de l'armée, ils ont été évacués sur Béfort, ce qui prive l'ennemi de ses munitions d'artillerie et de transport de vivres de réserve qui lui étaient nécessaires.

L'armée ennemie ayant pris le parti d'opérer entre l'Aube et la Marne, avait laissé le général Russe Witzingerode à Saint-Dizier, avec 8000 hommes de cavalerie et deux divisions d'infanterie, afin de maintenir la ligne d'opération et de faciliter l'arrivée de l'artillerie, des munitions et des vivres dont l'ennemi a le plus grand besoin.

La division de dragons du général Milhaud et la cavalerie de la Garde commandée par le général Sébastiani, ont passé le gué de Valcour le 26 mars, ont marché sur cette cavalerie et après de belles charges l'ont mise en déroute. Trois mille hommes de la cavalerie russe dont beaucoup de la garde impériale, ont été tués ou pris, les 18 pièces de canon qu'avait l'ennemi lui ont été enlevées ainsi que ses bagages. L'ennemi a laissé les bois et les prairies jonchées de ses morts. Tous les corps de cavalerie se sont distingués à l'envi les uns des autres.

Le duc de Reggio a poursuivi l'ennemi jusqu'à Bar-sur-Ornain.

Le 29, le quartier-général de l'Empereur était à Troyes. Des convois de prisonniers dont le nombre s'élève à plus de 6000 suivent l'armée.

Dans tous les villages, les habitans sont sous les armes, exaspérés par les violences, les crimes et les ravages de l'ennemi. Ils lui font une guerre acharnée qui est pour lui du plus grand danger.

L'Empereur qui avait porté son quartier-général à Troyes le 29, s'est dirigé à marches forcées par Sens sur la Capitale; mais l'ennemi y était entré. L'occupation de Paris par l'ennemi est un malheur qui afflige profondément le cœur de Sa Majesté et de tous les bons Français; mais dont il ne faut pas concevoir d'allarmes. La présence de l'Empereur avec son armée aux portes de Paris, empêchera l'ennemi de se porter à ses excès accoutumés dans une ville si populeuse, qu'il ne saurait garder sans rendre sa position dangereuse. Elle l'empêchera aussi de détacher autre chose que des troupes légères, pour inquiéter les départemens voisins.

Pour copie conforme : *l'Auditeur au Conseil d'Etat, Préfet du Département de la Vendée,*

LE BARON DE CHATEAUBOURG.

A NAPOLÉON, chez ALLUT, Imprimeur de la Préfecture.

NOUVELLES
DE LA
GRANDE ARMÉE.

SITUATION DE L'ARMÉE AU SEIZE OCTOBRE.

Sa Majesté l'Impératrice-Reine et Régente a reçu les nouvelles suivantes :

Le 15, le prince Schwarzenberg, commandant l'armée ennemie, annonça à l'ordre du jour, que le lendemain 16, il y aurait une bataille générale et décisive. Effectivement le 16, à 9 heures du matin, la grande armée alliée déboucha sur nous. Elle opérait constamment pour s'étendre sur sa droite. On vit d'abord trois grosses colonnes se porter, l'une le long de la rivière de l'Elster, contre le village de Wachau ; la seconde contre le village de Wachau, et la troisième contre celui de Liberwolkowitz. Ces trois colonnes étaient précédées par deux cents pièces de canon. L'Empereur fit aussitôt ses dispositions. A 10 heures, la canonnade était des plus fortes, et à 11 heures les deux armées étaient engagées aux villages de Dœlitz, Wachau et Liberwolkowitz. Ces villages furent attaqués six à sept fois ; l'ennemi fut constamment repoussé et couvrit les avenues de ses cadavres.

Le comte Lauriston, avec le 5.° corps, défendait le village de gauche (Liberwolkowitz) ; le prince Poniatowski, avec ses braves Polonais, défendait le village de droite (Dœlitz), et le duc de Bellune défendait Wachau. A midi, la 6.° attaque de l'ennemi avait été repoussée, nous étions maîtres des trois villages, et nous avions fait deux mille prisonniers. A peu près au même moment, le duc de Tarente débouchait par Holzhausen, se portant sur une redoute de l'ennemi, que le général Charpentier enleva au pas de charge, en s'emparant de l'artillerie et faisant quelques prisonniers. Le moment parut décisif. L'empereur ordonna au duc de Reggio de se porter sur Wachau avec deux divisions de la jeune garde. Il ordonna également au duc de Trévise de se porter sur Liberwolkowitz avec deux autres divisions de la jeune garde et de s'emparer d'un grand bois, qui est sur la gauche du village. En même-tems, il fit avancer sur le centre une batterie de 150 pièces de canon, que dirigea le général Drouot.

L'ensemble de ces dispositions eut le succès qu'on en attendait. L'artillerie ennemie s'éloigna. L'ennemi se retira et le champ de bataille nous resta tout entier.

Il était trois heures après-midi. Toutes les troupes de l'ennemi avaient été engagées. Il eut recours à sa réserve. Le comte de Merfeld, qui commandait en chef la réserve autrichienne, releva avec six divisions toutes les troupes sur toutes les attaques, et la garde impériale russe, qui formait la réserve de l'armée russe, les releva au centre.

La cavalerie de la garde russe et les cuirassiers autrichiens se précipitèrent par leur gauche sur notre droite, s'emparèrent de Dœlitz et vinrent caracoller autour des carrés du duc de Bellune. Le roi de Naples marcha avec les cuirassiers de Latour-Maubourg, et chargea la cavalerie ennemie par la gauche de Wachau, dans le tems que la cavalerie polonaise et les dragons de la garde, commandés par le général Letort, chargeaient par la droite. La cavalerie ennemie fut défaite ; deux régimens entiers restèrent sur le champ de bataille. Le général Letort fit 300 prisonniers russes et autrichiens. Le général Latour - Maubourg pris quelques centaines d'hommes de la garde russe.

L'Empereur fit sur-le-champ avancer la division Curial de la garde, pour renforcer le prince Poniatowski. Le général Curial se porta au village de Dœlitz, l'attaqua à la bayonnette, le prit sans coup férir et fit 1200 prisonniers, parmi lesquels s'est trouvé le général en chef Merfeld.

Les affaires ainsi rétablies à notre droite, l'ennemi se mit en retraite, et le champ de bataille ne nous fut pas disputé. Les pièces de la réserve de la garde que commandait le général Drouot, étaient avec les tirailleurs, la cavalerie ennemie vint les charger. Les canonniers rangèrent en carré leurs pièces, qu'ils avaient eu la précaution de charger à mitraille, et tirèrent avec tant d'agilité qu'en un instant l'ennemi fut repoussé. Sur ces entrefaites la cavalerie française s'avança pour soutenir ces batteries. Le général Maison, commandant une division du 5.° corps, officier de la plus grande distinction, fut blessé. Le général Latour-Maubourg, commandant la cavalerie eut la cuisse emportée d'un boulet. Notre perte dans cette journée a été de 2,500 hommes, tant tués que blessés. Ce n'est pas exa-

gérer que de porter celle de l'ennemi à 25,000 hommes. On ne saurait trop faire l'éloge de la conduite du comte Lauriston et du prince Poniatowski dans cette journée. Pour donner à ce dernier une preuve de sa satisfaction, l'Empereur l'a nommé sur le champ de bataille maréchal de France, et a accordé un grand nombre de décorations aux régimens de son corps.

Le général Bertrand était en même tems attaqué au village de Lindenau par les généraux Giulay, Thielman et Liechtenstein. On déploya de part et d'autre une cinquantaine de pièces de canon. Le combat dura six heures sans que l'ennemi put gagner un pouce de terrain. A cinq heures du soir, le général Bertrand décida la victoire en faisant une charge avec sa réserve, et non-seulement il rendit vains les projets de l'ennemi, qui voulait s'emparer des ponts de Lindenau et des faubourgs de Leipsick ; mais encore il le contraignit à évacuer son champ de bataille.

Sur la droite de la Partha, à une lieue de Leipsick, et à-peu-près à quatre lieues du champ de bataille où se trouvait l'Empereur, le duc de Raguse fut engagé. Par une de ces circonstances fatales, qui influent souvent sur les affaires les plus importantes, le 3.° corps qui devait soutenir le duc de Raguse, n'entendant rien de ce côté, à dix heures du matin, et entendant au contraire une effroyable canonnade du côté où se trouvait l'Empereur, crut bien faire de s'y porter, et perdit ainsi sa journée en marches.

Le duc de Raguse, livrés à ses propres forces, défendit Leipsick et soutint sa position pendant toute la journée ; mais il éprouva des pertes, qui n'ont point été compensées par celles qu'il a fait éprouver à l'ennemi, quelques grandes qu'elles fussent. Des bataillons de canonniers de la marine se sont faiblement comportés. Les généraux Compans et Frederichs ont été blessés.

Le soir, le duc de Raguse, légèrement blessé lui-même, a été obligé de resserrer sa position sur la Partha. Il a dû abandonner dans ce mouvement plusieurs pièces démontées et plusieurs voitures.

Pour copie conforme : *L'Auditeur au Conseil d'Etat, Préfet du Département de la Vendée,*

Le Baron de CHATEAUBOURG.

ez ALLUT, Imprimeur de la Préfecture, du Journal Politique et des Annonces Judiciaires du Département.

Napoléon 1ᵉʳ né le 15 août 1769. Empereur des Français, sacré et couronné à Paris dans l'Eglise métropolitaine de Notre-Dame le 2 décembre 1804 ; sacré et couronné à Milan Roi d'Italie, le 26 mai 1805.

A Paris chez Jean, rue St Jean de Beauvois n° 10.

ÉPILOGUE
1815-1821...

Sainte-Hélène

Ce ne fut pas *Talleyrand* qui tira les fils de la seconde abdication, mais son vieux complice *Fouché*. Celui-ci contrôlait la plupart des députés et leur ordonna de pousser Napoléon à renoncer au trône. L'Empereur abdiqua donc en faveur de *l'Aiglon* (22 juin), qui fut proclamé empereur sous le nom de *Napoléon II* tandis que *Fouché* œuvrait au retour de *Louis XVIII*.

Réfugié à Malmaison, puis à Rochefort où il apprit que ses passeports pour l'Amérique lui étaient refusés, Napoléon remit son sort entre les mains, qu'il croyait magnanimes, de la Grande-Bretagne. Il y était contraint par les manœuvres de *Fouché* qui projetait de le livrer aux Royalistes. Ceux-ci l'auraient sans doute condamné à mort s'ils avaient pu le capturer.

Les dirigeants britanniques ne voulurent pas "héberger" l'empereur déchu à moins de quelques centaines de milles des côtes d'Europe. Sainte-Hélène, une île de l'Atlantique sud qui avait déjà été envisagée en 1814, fut choisie pour exiler Napoléon. Au moment où *Louis XVIII* se réinstallait dans ses meubles avec le soutien vigilant des Alliés, le vaincu embarquait à bord du *Northumberland* pour gagner le lieu de son dernier repos.

Il devait y passer six ans, de 1815 à 1821. Entouré de quelques compagnons, dont *Bertrand, Gourgaud, Montholon* et naturellement *Las Cases*, il put y méditer longuement sur son extraordinaire destinée. Gardé par 600 canons, 7 navires et 3 000 hommes, Napoléon coula des jours sans gloire dans cette inaction dont il avait tant souffert à l'île d'Elbe. Son gardien, *Hudson Lowe*, était un subalterne prisonnier du règlement ; il lui rendait sa captivité plus pénible encore.

Il apaisait son désespoir en dictant ses mémoires à *Gourgaud* ou en se confiant à *Las Cases*. Après leur départ, *Bertrand* et *Montholon* restèrent ses ultimes confidents. Mais la mort était la seule issue à sa captivité et il le savait. Il avait espéré, dans les premiers temps, que ses fidèles émigrés en Amérique pourraient le délivrer. Cette illusion s'était vite dissipée.

Seul, privé de cette gloire qui avait tant illuminé ses jours, l'ancien empereur d'Occident, l'ancien aventurier de la Révolution s'éteignit tristement le 5 mai 1821.

Sa disparition marquait la fin d'une épopée, et la naissance d'une légende dont les images brillantes allaient fasciner le monde et donner un sens au passé.

La Légende

La légende napoléonienne n'est pas née à Sainte-Hélène, mais c'est là qu'elle reçut sa forme définitive. Amorcée dans les plaines de Lombardie en 1796, établie par de nombreuses victoires et par la consécration impériale de son héros, la rumeur épique attachée aux faits et gestes de Napoléon n'apparaîtrait dans toute sa force qu'après sa mort.

Le Mémorial, publié par *Las Cases* en 1823, serait le temple édifié par Bonaparte à Napoléon. L'empereur déchu bénéficierait aussi de la crise économique et sociale qui succéderait à l'Empire, faisant apparaître cette période comme un âge d'or à jamais révolu, où la rente et le prix du pain étaient l'objet de l'attention toute spéciale du pouvoir, où la monnaie était stable, l'inflation contenue, les salaires honorables...

Démobilisés et revenus dans leurs villages, les anciens soldats de la Grande Armée se feraient fort de maintenir leur prestige en vouant un culte particulier au souvenir des grandes heures de l'Empire. Ces lettres qu'ils avaient envoyées de l'Europe entière à leurs familles étaient leurs meilleurs arguments. Grandies dans la paix et le marasme, les jeunes générations les écoutaient parler avec vénération du *"Petit Caporal"* en évoquant des noms lointains et parés de gloire : Arcole, les Pyramides, l'Espagne, Moscou... Les misères et les faiblesses de l'Empire et de son maître s'estompaient peu à peu dans l'oubli ; seule demeurait l'image formidable d'un homme qui avait mis à ses pieds l'Europe des Rois.

La légende napoléonienne se forgea aussi dans le Romantisme de cette première moitié du XIXᵉ siècle. A la médiocrité du quotidien, à la mesquinerie des ambitions bourgeoises, les écrivains opposèrent bientôt la grandeur indéniable de l'épopée impériale. Le destin tragique de cet aventurier de la Révolution devenu conquérant prophétique, mort loin de tout sur un méchant caillou de lave, frappa les imaginations et s'inscrivit durablement dans la mémoire des peuples.

Par les chansonniers, comme le fameux *Béranger*, mais aussi par des écrivains tels que *Lamartine, Musset, Vigny, Hugo* ou *Dumas*, la légende dorée effacerait bientôt les souvenirs cruels. Lui-même converti tardivement, *Stendhal* contribuerait aussi à forger le mythe en commençant *La Chartreuse de Parme* par ces quelques phrases :

"Le 15 mai 1796, le général Bonaparte fit son entrée dans Milan, à la tête de cette jeune armée qui venait de passer le pont de Lodi et d'apprendre au monde qu'après tant de siècles *César* et *Alexandre* avaient un successeur...".

Le roman de la vie s'ouvrait de nouveau à l'Aventure.

MORT DE BUONAPARTE.

Extrait du Moniteur Universel, du 7 Juillet 1821.

ON a reçu par voie extraordinaire les journaux Anglais du 4 courant.

La mort de Buonaparte y est officiellement annoncée. Voici dans quels termes le *Courrier* donne cette nouvelle :

« Buonaparte n'est plus : il est mort le samedi 5 mai, à six heures du soir, « d'une maladie de langueur qui le retenait au lit depuis plus de 40 jours ».

« Il a demandé qu'après sa mort son corps fût ouvert, afin de reconnaître si « sa maladie n'était pas la même que celle qui avait terminé les jours de son père, « c'est-à-dire, un cancer à l'estomac. L'ouverture du cadavre a prouvé qu'il ne « s'était pas trompé dans ses conjectures. Il a conservé sa connaissance jusqu'au « dernier jour, et il est mort sans douleur.

Voici l'extrait d'une lettre que nous avons sous les yeux ; elle est datée de Sainte-Hélène, le 7 Mai :

« Buonaparte est mort samedi 5 Mai, après une maladie de six semaines, « qui n'avait pris un caractère sérieux que dans la deuxième quinzaine. Le cancer « qui lui rongeait l'estomac avait produit une large ulcération ».

« Il a été exposé depuis hier au soir, après que l'Amiral, le Gouverneur et « autres Autorités eurent visité le corps ».

Quoique sa maladie ne se fût pas prononcée d'abord d'une manière alarmante, « il sentait qu'il n'en pouvait revenir. Bientôt les médecins en furent eux-mêmes « persuadés.

« On dit que, cinq ou six heures avant de mourir, il a donné des instructions « relativement à ses affaires et à ses papiers. Il a demandé à être ouvert afin « que son fils pût être informé de la nature de sa maladie. L'ouverture a été « faite par son propre médecin ».

« Nous croyons qu'il a laissé un testament, qui, avec tous ses autres papiers, « sera envoyé en Angleterre ».

Les dépêches concernant cet événement ont été apportées par le capitaine Crokat, du 20e régiment. Elles ont été aussitôt communiquées à tous les Ministres et aux Ambassadeurs, qui ont sur-le-champ expédié des courriers à leurs Cours respectives.

Il a fait appeler, avant de mourir, un Ministre de la Religion.

Le journal *The Courrier* en date du 15 mai, rapporte :

« Buonaparte a été enterré le 9 dans la vallée de Sane, qu'il avait désignée « lui-même. Le cercueil était porté par des grenadiers ; MM. Bertrand et Montholon « portaient le poile ; madame Bertrand suivait avec tous ses enfants. La marche était « fermée par ladi Lowe, femme du gouverneur, accompagnée de ses filles, comme « elle en grand deuil. Les collines étaient couronnées par trois mille hommes de « troupes de terre ou de mer ; au moment où le cercueil a été mis en terre, onze « pièces de canon ont tiré trois salves. Il était né le 15 août 1769.

A Beziers, de l'Imprimerie de J.-J. FUZIER.

BIBLIOGRAPHIE

Anonyme (un ancien officier de la garde), *Histoire de Napoléon suivie des anecdotes impériales*. Paris, Documents historiques, 1934.

BAINVILLE, Jacques, *Napoléon*. Paris, Arthème Fayard, Les grandes études historiques, 1931.

BERCÉ, Yves-Marie, *La fin de l'Europe napoléonienne, 1814 : la vacance du pouvoir*. Paris, Henri Veyrier, Kronos, 1991.

BERGEROT, Bernard, *Hoche, un sans-culotte aristocrate*. Paris, Eurocorp, 1988.

CARROT, Georges, *Révolution et maintien de l'ordre, 1789-1799*. Paris, SPM, Kronos, 1995.

CASAGLIA, Gherardo, *Una zattera per l'Europa, Alessandro e Napoleone a Tilsit, 25 giugno 1807*. Ospedalletto (Pisa), Pacini, 1993.

CHAPPET, Alain, MARTIN, Roger, PIGEARD, Alain, ROBE, André, *Répertoire mondial des souvenirs napoléoniens*. Paris, SPM, Kronos, 1993.

COIGNET, *Les cahiers du capitaine*. Paris, Hachette, 1968. (première édition 1851-1853).

CLAUSEWITZ, Karl von, *La campagne de 1812 en Russie*. Paris, Complexe, Historiques, 1987. (1900 pour la première traduction française).

COUCHOUD, P.L., (présenté par), *Voix de Napoléon*. Genève, Milieu du Monde, 1949.

COUTURAUD, Laurence, *Augereau, l'enfant maudit de la gloire*. Paris, Henri Veyrier, Kronos, 1990.

DRIAULT, Edouard, (recueillies et présentées par), *Pensées pour l'action*. Paris, P.U.F., 1943.

GARNIER, Michaël, *Bonaparte et la Louisiane*. Paris, SPM, Kronos, 1992.

GARROS, Louis, *Quel roman que ma vie ! Itinéraire de Napoléon Bonaparte, 1769-1821*. Paris, Editions de l'Encyclopédie française, 1947.

HENRI-ROBERT, Jacques, *Dictionnaire des diplomates de Napoléon*. Paris, Henri Veyrier, Kronos, 1990.

JOUVENEL, Bertrand de, *Napoléon et l'économie dirigée, le Blocus continental*. Paris, Editions de la Toison d'Or, 1942.

LAS CASES, Emmanuel-Auguste-Dieudonné, comte de, *Mémorial de Sainte-Hélène*. Paris, 1823 (réédition Marcel Dunan, Paris, Flammarion, 1983).

LUCAS-DUBRETON, J., *Napoléon*. Paris, Arthème Fayard, 1942.

MORLOT, Georges-Albert et HAPPERT, Jeanne, *Talleyrand, une mystification historique*. Paris, Henri Veyrier, Kronos, 1991.

REVUE DE L'INSTITUT NAPOLÉON. Paris, SPM.

QUINTIN, Danielle et Bernard, *Dictionnaire des colonels de Napoléon*. Paris, S.P.M., Kronos.

SAVANT, Jean, *Napoléon*. Paris, Henri Veyrier, 1974.

TULARD, Jean (présenté par), *Napoléon Bonaparte, Œuvres littéraires et écrits militaires*. Paris, Société encyclopédique française, 1968. Tome III.

TULARD, Jean, *Napoléon, ou le mythe du Sauveur*. Paris, Fayard, 1977.

TULARD, Jean, *Dictionnaire Napoléon*. Paris, Fayard, 1987.

VIGO-ROUSSILLON, François, *Journal de campagne*, 1793-1837. Paris, France-Empire, 1981.

INDEX DES NOMS DE PERSONNES